ESSENCIAL FRANZ KAFKA

FRANZ KAFKA nasceu em 3 de julho de 1883 na cidade de Praga, Boêmia (hoje República Tcheca), então pertencente ao Império Austro-Húngaro. Era o filho mais velho de Hermann Kafka, comerciante judeu, e de sua esposa Julie, nascida Löwy. Estudou em sua cidade natal, formando-se em direito em 1906. Trabalhou como advogado, a princípio na companhia particular Assicurazioni Generali e depois no Instituto de Seguros contra Acidentes do Trabalho. Duas vezes noivo da mesma mulher, Felice Bauer, não se casou. Em 1917, aos 34 anos de idade, sofreu a primeira hemoptise de uma tuberculose que iria matá-lo sete anos mais tarde. Alternando temporadas em sanatórios com o trabalho burocrático, nunca deixou de escrever, embora tenha publicado pouco e, já no fim da vida, pedido inutilmente ao amigo Max Brod que queimasse seus escritos. Viveu praticamente a vida inteira em Praga, exceção feita ao período de novembro de 1923 a março de 1924, passado em Berlim, longe da presença esmagadora do pai, que não reconhecia a legitimidade de sua carreira de escritor. A maior parte de sua obra — contos, novelas, romances, cartas e diários, todos escritos em alemão — foi publicada postumamente. Kafka faleceu em um sanatório perto de Viena, Áustria, no dia 3 de junho de 1924, um mês antes de completar 41 anos de idade. Seu corpo foi enterrado no cemitério judaico de Praga. Quase desconhecido em vida, o autor de *O processo*, *Na colônia penal*, *A metamorfose* e outras obras-primas da prosa universal é considerado hoje — ao lado de Proust e Joyce — um dos maiores escritores do século XX.

MODESTO CARONE nasceu em Sorocaba, em 1937. Escritor, tradutor, ficcionista, ensaísta e professor de literatura, lecionou nas universidades de Viena, São Paulo e Campinas. Publicou ensaios, contos e uma novela, entre os quais estão *As marcas do real* (prêmio Jabuti de contos de 1990), *Aos pés de Matilda* (1980), *Dias melhores* (1984) e *Por trás dos vidros* (2007). A novela *Resumo de Ana* (1998) recebeu o prêmio Jabuti de romance. Foi traduzida para o espanhol e o francês, com resenhas nas universidades de Roma, México e Madri. Suas traduções de Kafka tiveram início em 1983 e incluem *Um artista da fome/ A construção*, *A metamorfose*, *O veredicto/ Na colônia penal*, *Carta ao pai*, *O processo* (prêmio Jabuti de tradução de 1989), *Um médico rural*, *Contemplação/ O foguista*, *O castelo* e *Narrativas do espólio*, todas publicadas pela Companhia das Letras. Recebeu o prêmio de ensaio e crítica da Associação Paulista de Críticos de Artes de 2009 por *Lição de Kafka*.

ESSENCIAL FRANZ KAFKA

Tradução, seleção e comentários de
MODESTO CARONE

11ª reimpressão

Grafia atualizada segundo o Acordo Ortográfico da Língua Portuguesa de 1990, que entrou em vigor no Brasil em 2009.

Agradecemos a *Serrote* por ceder os *Aforismos*, de Franz Kafka, publicados originalmente no número 1 da revista, em março de 2009.

Published by Companhia das Letras in association with
Penguin Group (USA) Inc.

CAPA E PROJETO GRÁFICO PENGUIN-COMPANHIA
Raul Loureiro, Claudia Warrak

PREPARAÇÃO
Carlos Alberto Bárbaro

REVISÃO
Huendel Viana
Luciane Helena Gomide

Dados Internacionais de Catalogação na Publicação (CIP)
(Câmara Brasileira do Livro, SP, Brasil)

Essencial Franz Kafka/ seleção, introdução e tradução de Modesto Carone. — 1ª ed. — São Paulo: Penguin Classics Companhia das Letras, 2011.

ISBN 978-85-63560-23-0

1.Contos alemães 2. Kafka, Franz, 1883-1924 — Crítica e interpretação I. Carone, Modesto.

11-04452 CDD-833

Índice para catálogo sistemático:
1. Contos: Literatura alemã 833

EDITORA SCHWARCZ S.A.
Rua Bandeira Paulista, 702, cj. 32
04532-002 — São Paulo — SP
Telefone (11) 3707-3500
www.penguincompanhia.com.br
www.companhiadasletras.com.br
www.blogdacompanhia.com.br

Sumário

Introdução*

MODESTO CARONE

UM PERFIL RÁPIDO, MAS NECESSÁRIO

Franz Kafka (1883-1924) é hoje o escritor mais lido e comentado da literatura alemã moderna. (*Best-sellers*, aqui como lá, não contam: a indústria cultural não tem a ver com a arte, mas com o comércio.) O fato de Kafka ter se tornado um ícone literário surpreende, pois é sabido que quando morreu, um mês antes de completar 41 anos, era um autor quase desconhecido — um *outsider* no próprio centro da modernidade. Passou a vida praticamente em Praga, onde nasceu (então capital da Tchecoslováquia, hoje República da Boêmia). Com algumas exceções, como as viagens a Berlim para consolidar o seu noivado com Felice Bauer, que morava na capital prussiana e de quem ele ficou duas vezes noivo e não se casou; duas viagens a Paris com os amigos e uma ou outra incursão na parte italiana do ex-Império Austro-Húngaro. Em novembro de 1923 decidiu deixar Praga para ganhar a vida em Berlim como jornalista e escritor e casar-se com Dora Diamant, a última de suas mulheres, mas a tuberculose pulmonar que o afligia desde os 34 anos de idade não permitiu a realização desse plano. Tudo indica que, conforme anotou certa vez, "a mãezinha [Praga] não larga,

* Os leitores que ainda não conhecem as histórias deste livro devem levar em conta que detalhes do enredo serão revelados neste e nos demais textos introdutórios de Modesto Carone.

ela tem garras". Está enterrado num cemitério distante do centro da cidade, no mesmo túmulo do pai e da mãe. A doença, que se intensificou nos últimos quatro anos de vida, determinou que se deslocasse para vários sanatórios. O último foi num subúrbio de Viena, em Kierling bei Wien. Foi lá que, no leito de morte, corrigiu as provas do seu livro de contos *Um artista da fome*, que contém quatro peças de primeira linha. Essa pertinácia coincide com uma de suas frases famosas: "Tudo o que não é literatura me aborrece". Soa melancólico, mas não o é, pois foi isso que o situou ao lado dos outros dois gigantes da prosa do seu século: Marcel Proust e James Joyce.

Talento é algo que não se discute, embora se constate. Mesmo assim caberia aqui uma observação marginal que talvez não tenha sido suficientemente acentuada. Estes três altíssimos escritores só escreveram (como, aliás, Machado de Assis) a partir da *periferia*: Proust aplicando-se microscopicamente a uma classe (ou película) social em vias de desaparecimento, a aristocracia, que negociava seus títulos e nomes altissonantes com a burguesia endinheirada, atraída pelo estilo refinado de um novo e até então invejado parceiro; Joyce, que viveu a duras penas com a família em várias cidades da Europa (Paris, Zurique, Trieste e Roma, por exemplo) mas não dedicou a menor atenção artística a outro lugar que não fosse Dublin, cidade que na época era uma colônia inglesa, atrasada e convulsiva, que o escritor imortalizou nos seus contos e novelas "exemplares".

Talvez seja por esse motivo, também, que os três escritores inscreveram em bronze seu nome na Weltliteratur do século XX: o primeiro, Proust, por dar o arremate final à grande prosa do século XIX; o segundo, Joyce, por avançar as fundas transformações da literatura que vinham desde Homero; e o último, Kafka, por fazer *tábula rasa* das convenções artísticas e psicológicas e inventar um narrador à sua altura: o narrador não consciente ou insciente, que sabe tanto quanto o personagem e o leitor, ou seja, nada ou quase nada, o que os leva, por uma mediação estritamente literária, ao universo alienado em que todos nós vivemos.

O COSMOPOLITA EUROPEU

Kafka era fluente em francês e italiano, além do alemão, sua língua materna, do tcheco, que aprendeu aos dois anos com uma babá, e do iídiche, que estudou quando já era adulto e sobre o qual deixou um ensaio, ao que parece pouco conhecido. Aprofundou-se na literatura alemã cercado pelo som da língua tcheca a maior parte da vida, e foi o primeiro e mais eminente internacionalista europeu de seu país. Após sua morte, em junho de 1924, aclamaram-no como um dos principais autores de origem judaica da época e o maior prosador do idioma alemão — Kurt Tucholsky e Hermann Hesse, por exemplo, consideram-no um *clássico*. Pelo menos depois de 1945 tornou-se, de uma só vez, o posto avançado da literatura alemã e austríaca (austro-húngara). Mais recentemente, já com menos entusiasmo, foi declarado tcheco na terra natal, onde sua memória contribuiu para inspirar o levante bem-sucedido contra a dominação soviética nos anos 1960. (Numa das principais praças de Praga há uma estátua de bronze em que é visto cavalgando um balde — referência explícita ao hoje famoso conto "O cavaleiro do balde".) Uma coisa é certa: na linhagem e ressonância dos seus escritos, Kafka é o mais cosmopolita de todos os escritores tchecos de língua alemã.

A Europa que moldou esse internacionalismo, no entanto, se perdeu: sua bandeira foi rasgada pela Primeira Guerra Mundial e pelo Tratado de Versalhes, que pôs fim ao conflito, e mais tarde destroçada por Hitler. Hoje, a Europa dos judeus mal existe nas terras que Kafka percorreu, e a Europa multilíngue e multicultural da antiga Áustria-Hungria cedeu à força emergente das cidades e dos estados-nações. Depois da Segunda Guerra Mundial e do Holocausto, no qual pereceram suas três irmãs (Elli, Valli e Ottla) e muitos dos seus amigos, Praga foi isolada do Ocidente pela Cortina de Ferro e os livros de Kafka *banidos*, nunca lembrados. É recente a iniciativa de traduzir suas obras para o tcheco.

As tensões e ansiedades coletivas que forneceram o combustível para esses atos de destruição incorporaram-se, à maneira kafkiana, em sua ficção, em seus escritos autobiográficos e em seus aforismos. Por esse motivo, é falso atribuir essa força de ascensão a um mito de ressurreição; o problema é de reconstrução histórica e criativa. Isso não implica que o século XXI não mantenha uma relação íntima com as trágicas circunstâncias do século XX. As imagens de angústia e deslocamento (ou *desloucamento*, como quer Günther Anders), inerentes à escrita kafkiana, à sua prosa de múltiplas camadas, que partilha, ao mesmo tempo, de múltiplos discursos, e à sobriedade que mostra em relação às chamadas *questões últimas*, ainda falam diretamente (e de maneira crescente) ao leitor contemporâneo. Como diz um especialista, o segredo do apelo contínuo deste escritor é que ele conservou durante todo esse tempo muitos dos seus segredos — que sustentam a coroa da sua posteridade.

Seu aprendizado numa das escolas primárias de língua alemã acompanhava o currículo clássico, cujas raízes remontam ao Renascimento europeu do século XVI. Estudou latim e grego como disciplinas obrigatórias, se bem que não necessariamente com júbilo: ao menos podia ler seus clássicos favoritos no original. Goethe, Kleist, Grillparzer faziam parte de um cânone que ao mesmo tempo era e não era dele enquanto judeu. Os grandes europeus do século XIX pertenciam certamente à sua compreensão mais profunda: Dostoiévsky entre os russos, Flaubert entre os franceses e Dickens entre os ingleses. Não faz o menor sentido dizer que ele os lia para sentir o sabor do estilo estrangeiro, pois os admirava como companheiros de rota europeus, com uma dedicação que se torna cada vez mais rara entre os escritores, quase um século após a sua morte.

A Europa de Kafka estendia-se para além das fronteiras do Império Austro-Húngaro dos Habsburgos. Como território cultural, expandia-se da parte ocidental da Ucrânia até as costas alemãs do mar do Norte e do Báltico, em que o escritor costumava passar as férias. Esteve duas vezes em Paris, onde anotou suas experiências pessoais nos *Diários*. Viajou para a Suíça e Itália do Norte, onde fazia turismo em companhia do amigo Max Brod. Quando se deslocava para a Alemanha, Kafka seguia a rota que atravessa Dresden até Berlim, parando em Leipzig ou Weimar. Viena, onde assistiu a um congresso judaico em 1913, e Berlim, a capital de Felice Bauer, são os dois outros pontos desse triângulo da cultura da Europa central, junto com Praga. Sua Europa também está demarcada pelas localidades dos sanatórios e das estâncias de saúde que frequentou no início dos anos 1920 e nas quais passou a maior parte dos últimos cinco anos de vida; Jungborn, no Harz alemão, no qual praticou exercícios de ginástica nudista; Zuckmantel, na Silésia (então Alemanha, hoje Polônia); Merano, na Itália, em 1918, e Matliary, na fronteira da Hungria com a Eslováquia. Sua sede natural no campo ficava na Boêmia rural de língua tcheca, região em que passou a convalescença dos últimos anos, sobretudo Zürau, onde morou na casa da irmã Ottla e escreveu os aforismos destinados a publicação; ou então em Schlesen, local em que escreveu a poderosa *Carta ao pai*.

Foi esta a Europa cujos valores culturais sofreram um baque com os escritos de Nietzsche, Marx e Freud. As revoluções de pensamento desencadeadas por esse trio evidentemente deixaram marcas visíveis na obra de Kafka. (Em sentido contrário, é fútil imaginar que a obra kafkiana pudesse manter-se "inocente", ou mesmo "ininteligível", no sentido ideológico, diante do que estava acontecendo.) A decadência e o esteticismo dândi (Kafka foi considerado um dos homens mais bem-vestidos de Praga), o expressionismo de todas as artes, inclusive as literárias, a célebre "crise da linguagem" articulada no fim do século XIX por Hugo von Hofmannstal, bem como eventos menores como a teosofia de Rudolf Steiner, o culto da "volta à natureza" e o movimento localista (Heimat) são apenas algumas das tendências contemporâneas de Kafka nos campos da cultura e do ambiente artístico, expressões aparentemente contraditórias ao espírito da época. Em política, o tipo marcante não só do período de ascensão das "pequenas nações" — os tchecos, os poloneses, os húngaros e os eslavos do sul da Iugoslávia — se ressentia do governo que emanava do centro imperial de Viena. Esses anos assinalam também a presença da democracia social internacional, a malograda Revolução Russa de 1905 (que aparece sub-reptícia no texto de *O veredicto*) e a tomada do poder pelos bolchevistas em Moscou no ano de 1917, a revolução alemã fracassada de 1918-9 e um levante similar em Budapeste, com Bela Khun. Foi a época ainda do crescimento do antissemitismo protonazista (o *putsch* da cervejaria de Hitler em Munique em 1923, bem como o movimento sionista inspirado por Theodor Herzl). O período destaca igualmente a inovação tecnológica (*Tempos modernos*), que fascinou e repeliu o escritor praguense, e a rápida industrialização da Boêmia, usina de energia industrial do império. (Kafka trabalhou, como se afirmou várias vezes, no estabelecimento de uma instituição moderna — o seguro contra acidentes do trabalho.) Essa inovação tecnológica afetou também as relações industriais, o modo como um segmento da economia, os empregadores, teve de negociar com outro conjunto de cidadãos, os empregados, que da mecanização retiravam o pão de cada dia, vendendo sua mercadoria, a força de trabalho. Coisas que hoje nos parecem banais, mas que naquele momento rasgaram o horizonte como inovações surpreendentes.

É impossível negar que este resumido repertório de mudanças e incidentes, mais as pessoas que deles tomaram parte, não tenham vincado os temas e a escrita de um artista que, ao contrário do que geralmente se supõe, escrevia *a partir da experiência*. Por essas e outras razões, o cosmopolita de Praga é um modelo avançado de autor capaz de generalizar o que viveu por meio da forma que inventou: ele corresponde hoje à mais alta exigência da Weltliteratur (a literatura do mundo goethiana).

O REALISMO PROBLEMÁTICO DE KAFKA

Mas de que trata afinal o poeta de Praga? Que tipo de experiência sua prosa enigmática legou à posteridade?

Ninguém melhor, com mais contundência, do que Günther Anders (frankfurtiano, talvez, à própria revelia) para tornar adequada uma resposta a esta questão. (Aqui, depois de traduzi-lo, e às vezes interpretá-lo, é necessário citá-lo *ipsis litteris*.) Diz o crítico alemão, nascido em Breslau, então Alemanha, hoje Polônia, em seu *Kafka: pró & contra*, logo na abertura:

> A fisionomia do mundo kafkiano parece *desloucada* [trocadilho entre *verrückt*, particípio passado de *verrücken*, "deslocar", e o adjetivo *verrückten*, que significa "louco"]. Mas Kafka *deslouca* a aparência aparentemente normal do nosso mundo louco, para tornar visível sua loucura. Manipula, contudo, essa aparência louca como algo muito normal e, com isso, descreve até mesmo o fato louco de que o mundo louco seja considerado normal.[1]

A todo instante, como se vê, são jogos de palavras brilhantes, que *fazem sentido* e até certo ponto circunscrevem o conceito kafkiano, invadindo o cerne da temática do autor. Não há necessidade de esclarecer ao leitor, diante desse tipo de formulação, que se repete em *Kafka: pró & contra* inúmeras vezes, que ela deriva não de um crítico apaziguado e comum, mas de um exegeta-escritor de vanguarda, capaz de fazer o seu discurso "musical" acompanhar as reviravoltas da obra analisada, sempre marcada por fraturas, condensações e dissonâncias. Não se deve atribuir ao acaso que Anatol Rosenfeld, experiente analista brasileiro de Kafka, considera esse pequeno e compacto livro de Anders como um dos *grandes* sobre o escritor tcheco. Nos seus ensaios kafkianos ele ainda repercute, no Brasil, as interpretações kafkianas já consagradas de Walter Benjamin e Theodor Adorno, que a partir dos anos 1930, 1940 e 1950 formaram a primeira linha da bibliografia mais refinada do escritor.

Nessa mesma direção, é importante lembrar que no primeiro capítulo dessa produção intelectual de 150 páginas consta uma frase lapidar de Anders: "O espantoso, em Kafka, é que o espantoso não espanta ninguém".[2] O *pendant* dessa investida arrojada tem um poder equivalente:

> Em Kafka, o inquietante não são os objetos nem as ocorrências como tais, mas o fato de que seus personagens reagem a eles descontraidamente, como se estivessem diante de objetos e acontecimentos normais. Não é a circunstância de Gregor Samsa acordar de manhã transformado em inseto, mas o fato de não ver nada de surpreendente nisso — a trivialidade do grotesco — [outra modalidade da banalidade do mal] que torna a leitura tão aterrorizante. Esse princípio, que se poderia chamar de "princípio da explosão negativa", consiste em não fazer soar sequer um *pianissimo* onde cabe esperar um *fortissimo*: o mundo simplesmente conserva

inalterada a intensidade do som. Com efeito, nada é mais assombroso do que a fleuma e a inocência com que Kafka entra nas histórias mais incríveis.[3]

Esta citação, deliberadamente longa, parece resumir aspectos nucleares da prosa kafkiana, onde frases como "o espantoso é que o espantoso não espanta ninguém" e "princípio da explosão negativa" abrangem fenômenos que superam a linguagem instrumental e quebram o padrão estabelecido da crítica. Anders, analista fino e preciso, reproduz enquanto crítico as tensões expressivas das formas poéticas. Existe algo menos complacente com as agruras da arte kafkiana? Pois para falar de Kafka com consistência (e não "dissertar sobre ele"), esse recurso talvez seja insubstituível.

DE VOLTA AO MÉTODO: O REALISMO

Para o crítico alemão, Kafka não é estetizante, santo ou sonhador, nem forjador de mitos ou simbolista — é um *fabulador realista*. Isso quer dizer que sua ficção não se pauta pelo esoterismo, como à primeira vista parece ser o caso, nem por um mundo sobrenatural ou místico. (Adorno afirmou, na *Teoria estética*, que se a arte de Kafka parece "metafísica", a culpa não é dela, mas do universo de onde ela derivou. O que a define é, em essência, a deformação como método. Walter Benjamin considerava que em Kafka as deformações são precisas.) Anders explica o procedimento de base que sustenta a ficção desse autor com uma analogia eficiente: a "distorção" como método na ciência. A atividade científica remete seu objeto a uma situação artificial a fim de atingir o cerne que a estrutura (ou "desfigura"), o qual fica, desse modo, deslocado (ou "desloucado"), mas o resultado é uma fixação (água = H2O). Acrescenta, além disso, que o homem dos nossos dias esbarra em aparelhos e apetrechos cuja função é desconhecida e com os quais só pode manter relações de estranhamento (é o caso famoso do Odradek, de Kafka, cuja função, ao que parece, é não ter função nenhuma). A verdade, porém, é que a vinculação desses objetos *estranhos* com o sistema de necessidades dos homens é infinitamente mediada. Em outras palavras, o estranhamento kafkiano não é um truque, mas um fenômeno do mundo moderno — só que na vida cotidiana ele é encoberto pela razão vazia. E é através dessa estratégia que Kafka revela o estranhamento encoberto da vida cotidiana.

Não há nada aqui que sugira onirismo, misticismo ou alheamento do mundo. Com a firmeza de um filósofo-artista, Theodor Adorno afirma que se a ficção "quer permanecer fiel à sua herança realista e dizer como realmente são as coisas, então [ela] tem de renunciar a um realismo que, na medida em que reproduz a fachada, só contribui para a sua tarefa de enganar".[4]

Em suma: a escrita de Kafka — ao contrário da maioria das que estão vigorando, de corte naturalista — é fina e flexível como aço e consegue perfurar a barreira da alienação para mostrar a face verdadeira do real.

O NARRADOR KAFKIANO E A METÁFORA

Vale a pena antecipar dois ingredientes da arte kafkiana que terão um desempenho forte na sua ficção. O primeiro é o narrador, o segundo a metáfora.

Começando pelo segundo, o autor afirmou certa vez que a única coisa que o fazia desesperar da literatura era a metáfora. Na realidade, nunca pôde prescindir dela. Primeiro porque a metáfora é vista não como um adorno da linguagem, mas como um *elemento constitutivo dela* (Ernst Cassirer). Ninguém fala ou escreve senão empregando metáforas. Muitas delas (a maioria) ossificaram-se e perderam o impacto e o seu caráter de coisa recente. Quem, no dia a dia, diz que está diante de um *braço* de mar, ou que um determinado objeto é vendido a *preço de banana*, já não atina com o fato de que nos dois casos se trata de recursos figurativos da linguagem, que se traduzem (a simplificação é didática) por uma translação de sentido, potenciada por certas analogias, abertas ou esquecidas, entre os objetos postos em confronto. Não "existe" uma *perna* de mesa, porque este membro é humano e não se inscreve na ordem dos utensílios a não ser como imagem. Não é preciso insistir em que exemplos dessa natureza são infindáveis.

Mas existe também um tipo de "passagem" de sentido que, por ser refinada (e não trivial), não é percebida como tal. Foi dito atrás que "a escrita de Kafka é fina e flexível como uma folha de aço". A comparação só seria um enigma se não fosse óbvia. O próprio Kafka queria que sua literatura *fizesse doer* como um estilete fincado no corpo. Ou seja, não é sobre a metáfora em si que o escritor se interessa, mas sobre o efeito artístico (e de conhecimento) que faz dela aquilo que é. Em realidade, os textos kafkianos podem ser lidos como uma cadeia de imagens. Por exemplo, na novela *Na colônia penal*, um aparelho diabólico, que prefigura os instrumentos de extermínio nazistas, tem o realismo sádico de algo que *está aí*. Mas como o escritor tcheco chegou a esse resultado sinistro? Através da metáfora que subjaz a essa novela — de uma frase feita que deixou de lado o seu lado semântico e ficou com a imagem: "sentir algo na própria pele". É a partir daqui que se constrói esse história perturbadora, em que um condenado é perfurado por estiletes que gravam no seu corpo a sentença a que foi condenado. (Este ponto será examinado mais tarde, quando o texto for focalizado.) Tudo isso pode parecer simples, mas não é; o que está em jogo é um dispositivo básico da construção "enigmática" do artista Franz Kafka.

O *narrador* em Kafka assume um papel essencial, na medida em que modela o seu mundo. É por meio dele que o leitor vai tomar conhecimento concreto da alienação (ou *falsa consciência*) das coisas. Na narrativa tradicional, o narrador é em geral onisciente. Para citar um exemplo clássico: no *Dom Quixote*, de Cervantes, ele goza de livre acesso não só aos desdobramentos do grande romance, como também à consciência profunda da personagem principal. O Quixote personagem sabe menos a seu próprio respeito e a respeito daquilo que acontece do que o narrador de Cervantes. Este último tem garantida a distância que o separa do Quixote herói, e por isso é capaz de delimitar conscientemente os disparates do seu personagem. Em outros termos, é o *distanciamento estético* que o torna acessível ao nosso entendimento, ao nosso humor e à percepção do que ele devia entender mas não entende. Isso explica (entre muitos outros) o episódio em que o Cavaleiro da Triste Figura toma moinhos de vento por gigantes que, no seu delírio, é preciso combater segundo as regras da Cavalaria Andante. A clareza, a graça ou o lance grotesco medeiam uma distância deliberadamente artística. O leitor pode imaginar, por contraste, o que seria uma leitura do romance em primeira pessoa, diretamente atrelada ao comportamento errático do Quixote... Tudo isso tornou-se literariamente visível e perfeito porque — entre outras tantas coisas — o universo cervantino foi marcado pela transparência, fazendo palpáveis os ingredientes originais da narrativa.

Mas os tempos mudaram, o universo se tornou complexo, tudo se adensou, os detalhes se multiplicaram e abriram passagem à *alienação*, à visão parcelada, em resumo: à *falsa consciência*. Um dos resultados desse desdobramento histórico, em termos artísticos, foi o *narrador insciente*, que não sabe nada, ou quase nada, tanto quanto o seu anti-herói (que é derrotado pelos obstáculos em vez de derrotá-los) e não oferece ao leitor nada senão a clareza da alienação que precisa ser decifrada.

Logo atrás foi afirmado que Kafka pode ser entendido como "o poeta da alienação": *So ist es*, dizia Adorno. Mas falta lembrar que nesse escritor a alienação não é descrita nem comentada, mas trazida à letra do texto por meio de um recurso estritamente literário. Em outras palavras, nele a consciência fora de foco é interna ao discurso, da qual o leitor não escapa.

KAFKA E A POLÍTICA

Kafka e a política? A pergunta expressa o espanto diante de grandezas incompatíveis — a escrita kafkiana e a preocupação política. Como exemplo basta uma anotação do *Diário*, quatro dias antes do início da Primeira Guerra Mundial: "A Alemanha declarou guerra à Rússia — Natação à tarde". Palavras desse teor num contexto grave como a Primeira Grande Guerra só poderiam ser atribuídas a um intelectual muito distante (ou indiferente) aos acontecimentos cruciais do seu tempo.

É possível lembrar, no entanto, em oposição a este, outro registro do autor no mesmo *Diário*: "Não esquecer de Kropotkin!". O anarquista russo era um dos militantes de esquerda favoritos do autor tcheco. Os comentários sobre as duas frases, principalmente sobre a primeira, não ajudam o leitor a entender qual era a verdadeira posição de Kafka em matéria de política. Isso não o impede de levá-lo ao curtíssimo conto "Desista!", fábula cômico-sinistra sobre a inutilidade de buscar a proteção do poder numa situação de angústia. Só recentemente foi publicado em alemão um estudo sobre Kafka e a política.[5] No entanto, a noção de que ele é um escritor de ponta, que formula uma crítica radical das condições sociais que conheceu (e que em grande parte são as nossas), ainda não alcançou um ponto de repouso. Pelo contrário, o desequilíbrio dessas análises tende a retratá-lo como cético diante de qualquer solução satisfatória dos conflitos entre os povos e as pessoas. Não quer dizer que permaneça à parte deles. Mas não é (talvez nem o pretendesse) concorrente de um Bertolt Brecht, uma vez que nunca escreveu algo que lembrasse o escritor e ativista alemão — nenhuma "mensagem" (a não ser as enigmáticas) ou "programas". Seus textos não têm uma ideologia explícita, nem se sabe nada, através das biografias, de compromissos ou convicções manifestas. Se no início Kafka produziu páginas que se podem considerar políticas, o fato é que isso aconteceu *antes de* 1912, o que reforça, uma vez mais, a ideia já generalizada de que *O veredicto* constitui o *turning point* de sua obra.

A conferência pronunciada em Liblice, Tchecoslováquia, no ano de 1963, por Roger Garaudy propôs a redefinição do conceito do realismo marxista ortodoxo que, segundo ele, estava obliterando os críticos do bloco soviético para o significado social da obra kafkiana e o tipo *sui generis* de escrita realista que praticava. Garaudy afirmou nessa ocasião que "Kafka não é um revolucionário: ele desperta nas pessoas a consciência de sua alienação, tornando-as conscientes. Ergue o pano de boca do palco sobre o drama, mas não oferece uma solução". (Faz sentido recordar aqui que seu contemporâneo Thomas Mann via o artista como a "má consciência" dos leitores burgueses.)

Nesse meio-tempo, os críticos ocidentais estavam trabalhando com abordagens semelhantes, mas em sentido contrário à ortodoxia segundo a qual Kafka era um autor religioso, metafísico ou solipsista.

O argumento de Garaudy, que tornava Kafka acessível a uma análise marxista matizada, foi considerado pelo establishment cultural soviético como *heresia* e esmagado com a Primavera de Praga.

Os percalços dos acontecimentos posteriores favoreceram a reavaliação do escritor tcheco e a abertura política estimulou a ampliação ainda cautelosa de Garaudy. Hoje é o mestre de Praga que não se ajusta a qualquer *ortodoxia* política. No modelo tradicional esquerda/direita (também posto em dúvida) foi muitas vezes percebido por aqueles que o leram politicamente como um intelectual de forte simpatia (nem sempre transparente) pela esquerda. Na própria biografia, esse ponto de vista encontra apoio explícito. E é certo que seus diários e cartas destacam, com conhecimento de causa, figuras como Lily Braun, Alexander Herzen e Peter Kropotkin.

Um passo além foi um esboço de 1918 ("Os trabalhadores sem propriedade"), com o quê Kafka atraiu a atenção dos críticos e leitores interessados em fixar sua simpatia pela esquerda, chegando até mesmo ao anarquismo. Mais interessantes são as observações de Kafka sobre os bolcheviques nas cartas de 1920 a Milena Jesenská, sugerindo uma decidida aprovação do escritor à causa revolucionária russa. Entretanto, a afirmação de que frequentava as reuniões de um clube anarquista radical, entre 1909 e 1912, é alvo de controvérsia ou negação por um dos membros efetivos da associação. Algumas das alegadas provas dos interesses e simpatias de Kafka nessa época devem ser tratadas com cautela. Desse modo, a atitude mais indicada, segundo os especialistas, é procurar as evidências nos *textos* de Kafka.

É obvio que diante do método literário kafkiano as provas estão longe de ser diretas. Nesse ponto, as leituras "políticas" do escritor muitas vezes concorrem com outras abordagens, e precisam se justificar pela qualidade dos seus insights, por uma compatibilidade com os dados biográficos e — mais importante ainda — com a fidelidade àquilo que é textual. A bibliografia de Kafka está repleta de interpretações soltas que não conseguem fazer justiça à complexidade estrutural e à riqueza de sua ficção, lendo-a segundo padrões parciais e estereotipados de ordem religiosa, existencialista ou psicanalítica. Seria surpreendente que não acontecesse a mesma coisa com as leituras políticas. Na realidade, muito dessa recepção política empenhou-se na tarefa de resgatá-lo da aura de *homo religiosus* com a qual Max Brod o anunciou ao mundo.

O presente trabalho reitera a apresentação dos textos selecionados de novelas e contos — os três romances (*O processo*, *O castelo* e o mutilado *América ou O desaparecido*) não fogem às diretrizes kafkianas já apontadas e empenham-se na tarefa de resgatar o autor tcheco de pressupostos esotéricos.

Os comentários sobre vários itens investem na sua vertente *iluminista* (as análises de "Na galeria" e de "Pequena fábula" são bons exemplos). Sua coerência interna só pode ser estabelecida por uma concepção não ortodoxa do "realismo" tal como este foi especificado atrás.

A metamorfose, embora rompa com uma estética realista, na famosa frase de abertura dá seguimento, de muitas maneiras, à crítica social. A narrativa focaliza em detalhe as condições materiais em que vive a família Samsa. Mas é obvio que a afinidade entre o mundo de ficção de Kafka e a versão marxista do capital só encontram referência ocasional na literatura crítica — e mesmo assim tende a ser diminuída ou descartada. Muitas observações a esse respeito indicam que a "análise do trabalho" de Gregor e o efeito que este produz nele não se acomodam facilmente a um ponto de vista marxista. Assim, a impressão mais nítida é a de que a justaposição de Kafka e Marx ainda é um tabu. Seja como for, há especialistas que consideram tais correspondências "exatas". A radical autoalienação de Gregor é de ordem social e material e corresponde ao conceito marxista do trabalho alienado no regime capitalista, intimamente relacionado com a natureza e as condições de emprego.

A questão de uma leitura dessa natureza, de qualquer forma, parece muito mais forte do que a interpretação religiosa ou metafísica, à qual a nossa perspectiva certamente se contrapõe e ganha relevo.

NOTAS

1. Günther Anders, *Kafka: pró & contra*, trad. e posf. de Modesto Carone, São Paulo, Cosac Naify, 2007, p. 15.
2. Ibid., p. 20.
3. Ibid., pp. 20-1.
4. Theodor Adorno, "Posição do narrador no romance contemporâneo", trad. de Modesto Carone, in *Os pensadores*, São Paulo, Abril, 1983, p. 270.
5. Dusan Glisovic, *Politik im Werke Kafkas*, Franke, Tübingen, 1996.

O veredicto

UMA HISTÓRIA PARA
A SENHORITA FELICE B

A novela *O veredicto* (Kafka chama-a de *história*) ocupa na obra do escritor um lugar decisivo em mais de um sentido. Em primeiro lugar, é o texto em que o autor descobre sua forma específica de narrar; cronologicamente, é um ponto de inflexão, pois introduz a sequência das obras primas kafkianas. O consenso crítico é de que *O veredicto* contém a estrutura básica que as demais narrativas desenvolvem e submetem a pequenas variações. Do ponto de vista temático, é a primeira novela (ou conto longo) do autor em que aparecem não só o motivo recorrente da condenação e da morte (por uma culpa desconhecida) como também a figura que encarna uma força vital — o Pai — que baixa a pena capital sobre um *eu* desgarrado ou alienado de si mesmo.

É a criação literária com que o autor estabeleceu a ligação afetiva mais profunda e cujo valor reconheceu sem a menor restrição — caso raro em se tratando de Kafka.

Era uma manhã de domingo no auge da primavera. Georg Bendemann, um jovem comerciante, estava sentado no seu quarto, no primeiro andar de um dos prédios baixos, de construção leve, que se estendiam em longa fila ao longo do rio, diferentes um do outro quase só na altura e na cor. Tinha justamente acabado de escrever uma carta a um amigo que se achava no estrangeiro, fechou-a com uma lentidão lúdica e depois, o cotovelo apoiado sobre a escrivaninha, olhou da janela para o rio, para a ponte e para as colinas da outra margem, com o seu verde sem vigor.

Ficou pensando como esse amigo, insatisfeito com suas perspectivas na própria terra, já fazia anos havia literalmente se refugiado na Rússia. Tinha agora uma casa comercial em São Petersburgo, que a princípio havia caminhado muito bem, mas que parecia há muito ter estacionado, conforme se queixava o amigo nas suas visitas cada vez mais raras. Assim é que ele se desgastava inutilmente no estrangeiro: a exótica barba cheia ocultava mal o rosto tão conhecido desde os anos de infância, e a cor amarela da pele parecia apontar para uma moléstia em evolução. Como ele contava, lá não mantinha nenhuma ligação autêntica com a colônia dos seus conterrâneos e quase nenhum contato social com as famílias do lugar, de maneira que se encaminhava definitivamente para a vida de solteiro.

O que se devia escrever a um homem assim, que evidentemente tinha saído fora dos trilhos e a quem se podia lastimar mas não prestar auxílio? Devia-se talvez aconselhá-lo a voltar de novo para casa, a transferir para cá sua existência, a retomar as velhas relações de amizade — para o que certamente não havia obstáculo algum — e no mais confiar na ajuda dos amigos? Mas isso não significava outra coisa senão estar ao mesmo tempo lhe dizendo, de uma maneira tanto mais ofensiva quanto maior a consideração, que suas tentativas até agora tinham malogrado, que ele devia finalmente desistir delas, regressar e permitir que todos o olhassem com espanto como a alguém para sempre de volta, que só os seus amigos sabiam um pouco das coisas e que ele era uma criança crescida, pura e simplesmente necessitada de seguir os companheiros bem-sucedidos que haviam permanecido em casa. E além do mais, era mesmo certo que todo esse transtorno, que seria preciso infligir a ele, tivesse um sentido? Talvez não se conseguisse nem ao menos trazê-lo de volta — ele mesmo afirmou que não entendia mais as condições vigentes no seu país —, e desse modo, a despeito de tudo, talvez continuasse na terra estranha, amargurado com os conselhos e um pouco mais distanciado dos amigos. Se ele porém seguisse de fato o conselho e — naturalmente sem essa intenção, mas em virtude dos fatos — fosse esmagado, não se encontrasse nos seus amigos nem sem eles, sofresse com o vexame, de fato então não possuísse lar ou amigos, nesse caso não teria sido muito melhor para ele ficar no estrangeiro, do modo como estava? Era possível, em tais circunstâncias, pensar que aqui ele iria efetivamente levar as coisas avante?

Por essas razões, mesmo que se quisesse manter a ligação por correspondência, não se podia na verdade transmitir a ele nenhuma comunicação real, como se faria sem temor até aos conhecidos mais distantes. O amigo já não vinha ao país fazia mais de três anos e explicava muito precariamente esse fato pela incerteza da situação política na Rússia, que não permitiria nem mesmo a mais breve ausência de um pequeno comerciante, ao passo que centenas de milhares de russos circulavam tranquilamente pelo mundo. Para Georg, entretanto, muita coisa havia mudado no curso desses três anos. Sobre a morte da mãe de Georg, que havia ocorrido dois anos antes, e depois da qual ele passara a viver em comum com o velho pai na mesma casa, o amigo naturalmente tinha recebido notícia e manifestado o seu pesar numa carta de tamanha secura que o motivo só podia ser que no estrangeiro o luto por um acontecimento dessa natureza é inteiramente inconcebível. Mas desde aquela época Georg havia assumido com maior determinação o negócio, bem como tudo o mais. Talvez o pai, enquanto a mãe era viva, por querer fazer valer só o seu próprio ponto de vista na firma, o tivesse impedido de exercer uma atividade pessoal efetiva; talvez o pai, desde a morte da mãe, embora ainda continuasse trabalhando no estabelecimento, tivesse ficado mais retraído; talvez — o que era até muito provável — acasos felizes houvessem desempenhado um papel muito mais importante; fosse como fosse, porém, nesses dois anos a firma tinha se desenvolvido de um modo totalmente inesperado, fora preciso dobrar o pessoal, o movimento havia quintuplicado e sem dúvida se estava na iminência de um novo avanço. Mas o amigo não fazia ideia dessa mudança. Anteriormente — talvez pela última vez naquela carta de pêsames — tinha querido convencer Georg a emigrar para a Rússia, estendendo-se sobre as perspectivas que existiam em São Petersburgo justamente para o ramo comercial de Georg. As cifras desapareciam diante do volume que os negócios de Georg tinham alcançado. Mas este não havia sentido vontade alguma de escrever ao amigo sobre seus êxitos comerciais, e caso o tivesse feito agora, em retrospecto, isso realmente teria adquirido uma aparência estranha.

Assim sendo, Georg se limitava sempre a escrever ao amigo só sobre incidentes insignificantes, da maneira como estes se acumulam desordenadamente na lembrança, quando se reflete sobre eles num domingo tranquilo. Ele não pretendia senão deixar inalterada a imagem que o amigo, no decorrer do longo intervalo, tinha feito da cidade natal e à qual se havia conformado. Aconteceu assim que Georg, em cartas bem distantes uma da outra, anunciou por três vezes o noivado de uma pessoa sem importância com uma moça igualmente sem importância, até que o amigo, na realidade contra as intenções de Georg, começou a se interessar por essa ocorrência notável.

Mas Georg preferia escrever-lhe sobre coisas como essa a admitir que ele próprio tinha ficado noivo, um mês atrás, da senhorita Frieda Brandenfeld, uma jovem de família bem situada. Muitas vezes conversou com a noiva sobre esse amigo e a situação peculiar da correspondência que mantinha com ele.

— Então ele não virá de modo algum para o nosso casamento — dizia ela. — E eu tenho o direito de conhecer todos os seus amigos.

— Não quero perturbá-lo — respondia Georg. — Entenda bem, é provável que ele viesse, pelo menos é o que acredito; mas iria se sentir forçado e prejudicado, talvez ficasse com inveja de mim; e certamente insatisfeito e incapaz de pôr de lado essa insatisfação, regressaria sozinho. Sozinho — você sabe o que é isso?

— Sim, eu sei, mas ele não pode ficar sabendo do nosso casamento de outra maneira?

— Seja como for, isso eu não posso evitar; mas, vivendo como vive, é improvável.

— Se você tem amigos assim, Georg, não devia ter ficado noivo.

— Bem, a culpa é de nós dois; mas mesmo agora eu não queria que as coisas fossem diferentes.

E quando ela, então, respirando rápido sob seus beijos, ainda argumentava: "na verdade isso me ofende", ele achou que realmente não era embaraçoso escrever tudo ao amigo.

"Eu sou assim e é assim que ele tem de me aceitar", disse consigo. "Não posso talhar em mim mesmo uma pessoa que talvez fosse mais ajustada à amizade com ele do que eu sou."

E de fato, na longa carta que escreveu nessa manhã de domingo, relatou ao amigo a realização do noivado com as seguintes palavras: "A melhor novidade eu guardei para o fim. Fiquei noivo da senhorita Frieda Brandenfeld, uma jovem da família bem-posta que só se estabeleceu aqui tempos depois da sua partida e que portanto você dificilmente poderia ter conhecido. Ainda haverá ocasião para lhe contar mais sobre a minha noiva, basta hoje que lhe diga que estou muito feliz e que nossa atual relação só mudou alguma coisa na medida em que agora você terá em mim, ao invés de um amigo comum, um amigo feliz. Além disso você ganha, com a minha noiva, que manda saudá-lo cordialmente, e que em breve vai escrever pessoalmente a você, uma amiga sincera, o que não é sem importância para um solteiro. Sei que muita coisa o impede de nos visitar, mas não seria justamente o meu casamento a oportunidade certa para afastar os obstáculos? Seja como for, porém, aja sem qualquer escrúpulo e segundo o que achar melhor".

Com essa carta na mão Georg ficou longo tempo sentado à escrivaninha, o rosto voltado para a janela. Mal respondeu, com um sorriso ausente, a um conhecido que, passando pela rua, o cumprimentara.

Finalmente enfiou a carta no bolso e, do seu quarto, atravessando um pequeno corredor escuro, entrou no quarto do pai, ao qual não ia já fazia meses. De resto não havia necessidade disso, pois sempre encontrava o pai na loja e almoçavam juntos num restaurante; à noite, efetivamente, cada um cuidava de si a seu critério, mas na maioria das vezes, quando Georg não estava com os amigos ou visitava a noiva, o que acontecia com mais frequência, ficavam sentados ainda um pouco na sala de estar comum, cada qual com o seu jornal.

Surpreendeu Georg como estava escuro o quarto do pai mesmo nessa manhã ensolarada. A sombra era pois lançada pelo muro alto que se erguia do outro lado do estreito pátio. O pai estava sentado junto à janela, num canto enfeitado com várias lembranças da finada mãe, e lia o jornal segurando-o de lado para compensar alguma deficiência da vista. Sobre a mesa jaziam os restos do café da manhã, do qual não parecia ter sido consumida muita coisa.

— Ah, Georg! — disse o pai e caminhou ao seu encontro.

Seu roupão pesado se abriu quando andava e as pontas esvoaçaram em volta dele. "Meu pai continua sendo um gigante", pensou Georg consigo.

— Aqui está insuportavelmente escuro — disse depois.

— É verdade, está escuro — respondeu o pai.

— Você fechou também a janela?

— Prefiro assim.

— Fora está fazendo bastante calor — disse Georg como um acréscimo ao que havia dito antes e sentou-se.

O pai retirou a louça do café e colocou-a em cima de uma cômoda.

— Na realidade eu só queria dizer a você — continuou Georg, acompanhando completamente absorto os movimentos do velho — que acabo de anunciar a São Petersburgo o meu noivado.

Puxou um pouco a carta de dentro do bolso e deixou-a cair outra vez.

— Como assim, a São Petersburgo? — perguntou o pai.

— Ao meu amigo, é claro — disse Georg buscando os olhos do pai.

"Na loja ele é totalmente diferente do que é aqui, sentado com todo o peso do corpo e os braços cruzados sobre o peito", pensou.

— Ah, sim, ao seu amigo — disse o pai com ênfase.

— Você sabe muito bem, pai, que a princípio eu quis ocultar o meu noivado dele. Por consideração, por nenhum outro motivo. Você mesmo sabe que ele é uma pessoa difícil. Eu disse cá comigo: ele pode ter notícia do meu noivado através de terceiros, embora seja pouco provável com o tipo de vida solitária que leva — isso eu não posso evitar —, mas por mim é que ele não deve ficar sabendo.

— E agora você mudou de opinião? — perguntou o pai, pôs o amplo jornal sobre o parapeito da janela e sobre os óculos, que cobriu com a mão.

— É, agora mudei de opinião. Se ele é um bom amigo, pensei comigo, então um noivado que me faz feliz é também uma felicidade para ele. Por isso não hesitei mais em anunciá-lo. Antes porém de remeter a carta, queria dizer isso a você.

— Georg — disse o pai esticando para os lados a boca desdentada —, ouça bem. Você veio a mim para se aconselhar comigo sobre esse assunto. Isso o honra, sem dúvida. Mas não é nada, é pior do que nada, se você agora não me disser toda a verdade. Não quero levantar questões que não cabem aqui. Desde a morte da nossa querida mãe aconteceram certas coisas que não são nada bonitas. Talvez chegue a hora de também discuti-las — e talvez ela chegue mais cedo do que pensamos. Na loja muita coisa foge ao meu controle, talvez não pelas minhas costas — não quero agora supor que seja pelas minhas costas —, não tenho mais força suficiente, minha memória começa a falhar, já não tenho visão para tudo isso. Em primeiro lugar, é o curso da natureza; em segundo, a morte da nossa mamãe me abateu muito mais do que a você. Mas já que estamos falando desse assunto, dessa carta, peço-lhe por favor, Georg, que não me engane. É uma ninharia, não vale nem um suspiro, por isso não me engane. Você realmente tem esse amigo em São Petersburgo?

Georg levantou-se, embaraçado.

— Vamos deixar de lado os amigos. Para mim mil amigos não substituiriam meu pai. Sabe o que eu acho? Você não se poupa o necessário. Mas a idade reclama os seus direitos. Você sabe muito bem que me é indispensável na loja, mas se for para ela ameaçar sua saúde, amanhã mesmo eu a fecho definitivamente. E isso não é possível. Portanto temos de encontrar um novo modo de vida para você. Radicalmente novo. Você fica sentado aqui no escuro, no entanto na sala de estar teria uma boa luz. Belisca o café da manhã ao invés de se alimentar direito. Senta-se junto à janela fechada quando o ar lhe faria tão bem. Não, pai! Vou chamar o médico e nós seguiremos as prescrições dele. Vamos trocar de quarto, você vai para o da frente, eu venho para este. Não significará nenhuma mudança para você, todas as suas coisas serão transportadas junto. Mas tudo isso tem tempo, deite-se agora mais um pouco na cama, você precisa de repouso sem falta. Venha, vou ajudá-lo a tirar a roupa, você vai ver como sei fazer isso. Ou quer ir já para o quarto da frente? Se é assim, deite-se por enquanto na minha cama. Aliás, seria uma coisa muito sensata.

Georg estava em pé bem ao lado do pai, que tinha deixado pender sobre o peito a cabeça de cabelos brancos e desgrenhados.

— Georg — disse o pai em voz baixa, sem se mover.

Georg ajoelhou-se imediatamente ao seu lado, viu nos cantos dos olhos do rosto cansado do pai as pupilas dilatadas se voltarem para ele.

— Você não tem nenhum amigo em São Petersburgo. Você sempre foi um trapaceiro e não se conteve nem mesmo diante de mim. Como iria ter justamente lá um amigo? Não posso de maneira alguma acreditar nisso.

— Pense outra vez, pai — disse Georg, erguendo o velho da cadeira e lhe tirando o roupão, enquanto o pai ficava em pé numa posição frágil. — Agora vai fazer três anos que o meu amigo nos fez uma visita. Ainda me lembro que você não simpatizou muito com ele. Pelo menos duas vezes omiti de você a sua presença, embora ele estivesse sentado logo ali no meu quarto. Eu podia compreender perfeitamente sua aversão por ele: meu amigo tem muitas idiossincrasias. Mas depois você sem dúvida se entendeu bem com ele. Na ocasião fiquei muito orgulhoso porque você lhe deu atenção, assentiu com a cabeça e lhe fez perguntas. Se pensar um pouco, logo vai se lembrar. Daquela vez ele contou histórias incríveis sobre a Revolução Russa. Como por exemplo ter visto, numa viagem de negócios, durante um tumulto em Kiev, um padre que, no alto de uma sacada, havia cortado na palma da mão uma grande cruz de sangue, levantando-a enquanto conclamava a multidão. Você mesmo contou aqui e ali essa história para outras pessoas.

Nesse meio-tempo Georg tinha conseguido fazer o pai se sentar outra vez, despindo com cuidado a calça de malha que ele vestia sobre as ceroulas de linho, bem como as meias. Ao ver que a roupa de baixo não estava muito limpa, censurou-se por ter descuidado do pai. Teria sido sem dúvida seu dever zelar pela troca dessa roupa. Ainda não havia conversado expressamente com a noiva sobre a maneira como pretendiam organizar o futuro do velho, pois tinham admitido de forma tácita que ele iria ficar sozinho na antiga casa. Nesse momento porém ele decidiu, rápido e com toda firmeza, levá-lo para sua futura residência. Num exame mais atento, quase parecia que o tratamento a ser lá dispensado ao pai poderia estar vindo tarde demais.

Carregou nos braços o velho para a cama. Teve um sentimento terrível quando, ao dar uns poucos passos até lá, notou que o pai estava brincando com a corrente do seu relógio. Não conseguiu colocá-lo logo na cama, tão firme ele se agarrava à corrente.

Mas mal o pai ficou na cama tudo pareceu estar bem. Ele mesmo se cobriu e depois puxou o cobertor bem acima dos ombros. Ergueu os olhos para Georg de um modo não inamistoso.

— Você já se lembra dele, não é verdade? — perguntou Georg enquanto lhe fazia um aceno de estímulo com a cabeça.

— Estou bem coberto agora? — perguntou o pai, como se não pudesse verificar se os pés estavam suficientemente protegidos.

— Então você já se sente bem na cama — disse Georg, estendendo melhor as cobertas sobre ele.

— Estou bem coberto? — perguntou o pai outra vez; parecia estar particularmente atento à resposta.

— Fique tranquilo, você está bem coberto.

— Não! — bradou o pai de tal forma que a resposta colidiu com a pergunta, atirou fora a coberta com tamanha força que por um instante ela ficou completamente estirada no voo e pôs-se em pé na cama, apoiando-se de leve só com uma mão no forro. — Você queria me cobrir, eu sei disso, meu frutinho, mas ainda não estou recoberto. E mesmo que seja a última força que tenho, ela é suficiente para você, demais para você. É claro que conheço o seu amigo. Ele seria um filho na medida do meu coração. Foi por isso que você o traiu todos esses anos. Por que outra razão? Você pensa que não chorei por ele? É por isso que você se fecha no seu escritório: ninguém deve incomodar, o chefe está ocupado — só para que possa escrever suas cartinhas mentirosas para a Rússia. Mas felizmente ninguém precisa ensinar o pai a ver o filho por dentro. E agora que você acredita tê-lo aos seus pés, tão submetido que é capaz de sentar em cima dele com o traseiro sem que ele se mova, o senhor meu filho se decidiu casar!

Georg levantou os olhos para a imagem aterrorizante do pai. O amigo de São Petersburgo, que de repente o pai conhecia tão bem, o comoveu como nunca antes. Viu-o perdido na vasta Rússia. Viu-o na porta da loja vazia e saqueada. Entre os escombros das prateleiras, das mercadorias destroçadas, dos tubos de gás caindo, ele ainda continuava em pé. Por que tinha precisado viajar para tão longe?

— Mas olhe para mim! — bradou o pai, e Georg, quase distraído, correu até a cama para registrar tudo, mas ficou parado no meio do caminho.

— Só porque ela levantou a saia — começou o pai em voz de falsete —, só porque a nojenta idiota levantou a saia — e para fazer a mímica suspendeu tão alto o camisolão, que dava para ver na parte superior da coxa a cicatriz dos seus anos de guerra —, só porque ela levantou a saia assim, assim e assim, você foi se achegando, e para que pudesse se satisfazer nela sem ser perturbado, você profanou a memória da sua mãe, traiu o amigo e enfiou seu pai na cama para que ele não se movesse. Mas ele pode ou não se mover?

E, sem se apoiar em nada, passou a esticar as pernas para a frente. Resplandecia de perspicácia.

Georg encolheu-se a um canto o mais possível distante do pai. Fazia já algum tempo tinha tomado a firme decisão de observar tudo de maneira absolutamente precisa, para não ser surpreendido num descaminho, seja por trás ou de cima para baixo. Lembrou-se nesse momento da decisão há muito esquecida e a esqueceu de novo, como um fio curto que se enfia pelo buraco de uma agulha.

— Mas o seu amigo não foi atraiçoado! — exclamou o pai, sublinhando a fala com o dedo indicador que se mexia de lá para cá. — Eu era o seu representante aqui no lugar.

— Comediante! — gritou Georg sem conseguir se conter, reconheceu logo o erro e, com os olhos arregalados, mordeu — só que tarde demais — a língua com tanta força que se dobrou de dor.

— Sim, sem dúvida interpretei uma comédia! Comédia! Boa palavra! Que outro consolo restava ao velho pai viúvo? Diga — e no instante da resposta seja ainda o meu filho vivo — o que me restava, neste meu quarto dos fundos, perseguido pelos empregados desleais, velho até os ossos? E o meu filho caminhava triunfante pelo mundo, fechava negócios que eu tinha preparado, dava cambalhotas de satisfação e passava diante do pai com o rosto circunspecto de um homem respeitável! Você acha que eu não o teria amado — eu, de quem você saiu?

"Agora vai se inclinar para a frente", pensou Georg. "Se ele caísse e rebentasse!" Essa palavra passou zunindo pela sua cabeça.

O pai se inclinou para a frente, mas não caiu. Uma vez que Georg não se aproximou como ele esperava, endireitou o corpo outra vez.

— Fique onde está, não preciso de você! Julga que ainda tem força para vir até aqui e que só não faz isso porque não quer. Cuidado para não se enganar! Continuo sendo de longe o mais forte. Sozinho eu talvez precisasse recuar, mas sua mãe me transmitiu a energia que tinha, liguei-me ao seu amigo de uma forma estupenda e tenho aqui no bolso a sua clientela!

"Até no camisolão ele tem bolsos!", disse Georg a si mesmo; achava que com essa observação podia tornar-lhe a vida impossível no mundo inteiro. Pensou assim só por um instante, pois continuava esquecendo tudo.

— Pendure-se na sua noiva e venha ao meu encontro! Vou varrê-la do seu lado, você não imagina como!

Georg fez caretas como se não acreditasse nisso. O pai simplesmente acenou com a cabeça, acentuando a verdade do que estava dizendo, em direção ao canto de Georg.

— Como você hoje me divertiu quando veio perguntar se devia escrever ao seu amigo sobre o noivado! Ele sabe de tudo, jovem estúpido, ele sabe de tudo! Eu escrevi a ele porque você se esqueceu de me tirar o material para escrever. É por isso que há anos ele não vem, ele sabe de tudo cem vezes mais do que você mesmo, amassa sem abrir as suas cartas na mão esquerda enquanto com a direita segura as minhas diante dos olhos para ler.

De entusiasmo, arremessou o braço sobre a cabeça.

— Ele sabe de tudo mil vezes melhor! — gritou.

— Dez mil vezes! — disse Georg para ridicularizar o pai, mas já na sua boca as palavras ganharam uma tonalidade mortalmente séria.

— Estava aguardando há anos que você viesse com essa pergunta. Você acha que eu me preocupava com qualquer outra coisa? Você acha que leio jornais? Olhe aí — e atirou na direção de Georg uma folha de jornal que de algum modo tinha sido carregada para a cama, um jornal velho, com um nome já completamente desconhecido de Georg.

— Quanto tempo você levou para amadurecer! Sua mãe precisou morrer, não pôde viver o dia da alegria, o amigo se arruinando na Rússia — três anos atrás ele já estava amarelo de jogar fora — e quanto a mim você está vendo como vão as coisas. É para isso que tem olhos!

— Então você ficou à minha espreita — bradou Georg.

Compassivamente disse o pai, de passagem:

— Provavelmente você queria dizer isso antes. Agora já não dá mais.

E em voz alta:

— Agora portanto você sabe o que existia além de você, até aqui sabia apenas de si mesmo! Na verdade você era uma criança inocente, mas mais verdadeiramente ainda você era uma pessoa diabólica! Por isso saiba agora: eu o condeno à morte por afogamento!

Georg sentiu-se expulso do quarto, levando ainda nos ouvidos o baque com que o pai, atrás dele, desabou sobre a cama. Na escadaria, sobre cujos degraus passou correndo como se fosse por cima de uma superfície oblíqua, atropelou a criada que se dispunha a subir para arrumar a casa pela manhã.

— Jesus! — exclamou ela, cobrindo o rosto com o avental, mas ele já tinha desaparecido. No portão do prédio deu um pulo, impelido sobre a pista da rua em direção à água. Já agarrava firme a amurada, como um faminto a comida. Saltou por cima dela como o excelente atleta que tinha sido nos anos de juventude para orgulho dos pais. Segurou-se ainda com as mãos que ficavam cada vez mais fracas, espiou por entre as grades da amurada um ônibus que iria abafar com facilidade o barulho da sua queda e exclamou em voz baixa:

— Queridos pais, eu sempre os amei — e se deixou cair.

Nesse momento o trânsito sobre a ponte era praticamente interminável.

Um artista da fome

O protagonista desta história é um artista que ganha a vida atraindo o público em suas performances públicas de jejum. Para o artista, jejuar significa vida e morte. Durante essas apresentações, que seu empresário não permite que durem mais de quarenta dias, é visto e vigiado por um público implacável, que não entende a natureza artística do ato de ficar sem comer. Seja como for, ele magnetiza a multidão. Quando suas atuações deixam de ser populares, ele se transforma num pobre-diabo num circo de arrabalde. No final, leva o seu desejo de jejuar até o limite, mas nem ele nem os espectadores sabem quantos dias ele fica sem comer. Na realidade, jejua até a morte. Quando está agonizando, admite que o ato de jejuar, para ele, não era apenas fácil, mas também necessário, porque nunca conseguiu encontrar um alimento que o satisfizesse. Para o artista da fome, sua arte é um modo de existir, e a perfeição neste caso — ou seja, o ponto em que fica satisfeito — significa a morte.

O artista esquelético tem sido comparado ao próprio Kafka, que na época em que compôs esta narrativa estava com o organismo minado pela tuberculose da laringe e só podia comer com a maior dificuldade.

Nas últimas décadas o interesse pelos artistas da fome diminuiu bastante. Se antes compensava promover, por conta própria, grandes apresentações desse gênero, hoje isso é completamente impossível. Os tempos eram outros. Antigamente toda a cidade se ocupava com os artistas da fome; a participação aumentava a cada dia de jejum; todo mundo queria ver o jejuador no mínimo uma vez por dia; nos últimos, havia espectadores que ficavam sentados dias inteiros diante da pequena jaula; também à noite se faziam visitas cujo efeito era intensificado pela luz de tochas; nos dias de bom tempo a jaula era levada ao ar livre e o artista mostrado especialmente às crianças. Embora para os adultos ele não passasse de um divertimento, no qual tomavam parte por causa da moda, as crianças olhavam com assombro, de boca aberta, uma segurando a mão da outra por insegurança, aquele homem pálido, de malha escura, as costelas extremamente salientes, que desdenhava até uma cadeira para ficar sentado sobre a palha espalhada no chão: ora ele acenava polidamente com a cabeça, ora respondia com um sorriso forçado às perguntas, esticando o braço pelas grades para que apalpassem sua magreza e mergulhando outra vez dentro de si mesmo, sem se importar com ninguém, nem mesmo com a batida do relógio — tão importante para ele e a única peça que decorava a jaula —, mas fitando o vazio com os olhos semicerrados e bebericando de vez em quando água de um copo minúsculo para umedecer os lábios.

Além dos espectadores que se revezavam, havia ali também vigilantes escolhidos pelo público — em geral, curiosamente, açougueiros, sempre três ao mesmo tempo, e que assumiam a tarefa de observar dia e noite o artista da fome para que ele não se alimentasse por algum método oculto. Mas isso era apenas uma formalidade introduzida para tranquilizar as massas, pois os iniciados sabiam muito bem que o jejuador, durante o período de fome, nunca, em circunstância alguma, mesmo sob coação, comeria alguma coisa, por mínima que fosse: a honra da sua arte o proibia. Sem dúvida nem todo vigilante podia entender isso; havia muitas vezes grupos de vigia que à noite exerciam com muita displicência o seu papel, reunindo-se de propósito num canto distante, onde mergulhavam no jogo de cartas com a intenção manifesta de conceder ao artista da fome um descanso durante o qual, no seu modo de ver, ele podia lançar mão de provisões secretas. Nada atormentava tanto o jejuador quanto esses vigilantes; eles turvavam seu estado de ânimo e tornavam o jejum terrivelmente difícil; às vezes, superando a fraqueza, ele cantava, enquanto tinha forças, no período de vigia, para mostrar às pessoas como era injusto suspeitarem dele. Mas isso pouco ajudava, porque então eles se admiravam da sua destreza para comer até cantando. Para ele eram muito preferíveis os vigilantes que se sentavam bem junto às grades, não se contentavam com a fosca iluminação noturna da sala e faziam incidir sobre o jejuador os raios de lanternas elétricas de bolso que o empresário punha à sua disposição. A luz crua não o incomodava de modo algum; embora não pudesse dormir, sempre cochilava um pouco com qualquer luminosidade e a qualquer hora, mesmo na sala superlotada e barulhenta. Com esses vigilantes estava sempre pronto a passar a noite toda em claro, a trocar gracejos com eles, contar-lhes histórias da sua vida errante e depois escutar as deles — tudo para mantê-los despertos, para poder provar-lhes que não tinha nada comestível na jaula e que jejuava como nenhum deles seria capaz. Mas era de manhã que ficava mais feliz do que nunca, pois então, por sua conta, era servido aos vigilantes um café da manhã suculento, ao qual eles se atiravam com o apetite de homens sadios depois de uma noite de trabalhosa vigia. Na realidade não faltavam pessoas que queriam ver nessa refeição uma influência indevida sobre os vigilantes; mas isso era ir longe demais, e quando perguntavam a elas se porventura queriam assumir a vigilância noturna em nome da causa e sem o café da manhã, elas torciam a cara e conservavam suas suspeitas.

Isso no entanto já fazia parte das suspeitas inerentes à profissão do artista da fome. Ninguém estava em condições de passar todos os dias e noites ininterruptamente a seu lado como vigilante, portanto ninguém era capaz de saber, por observação pessoal, se o jejum fora realmente mantido sem falha e interrupção; só o artista podia saber isso e ser o espectador totalmente satisfeito do próprio jejum. Entretanto ele nunca estava satisfeito por outro motivo: talvez não fosse em virtude do jejum que estivesse tão magro — a tal ponto que muitos, lamentando-se por causa disso, tinham que se afastar das apresentações porque não conseguiam suportar aquela visão — mas sim em virtude da insatisfação consigo mesmo. É que só ele sabia — só ele e nenhum outro iniciado — como era fácil jejuar. Era a coisa mais fácil do mundo. Ele não o ocultava, mas não acreditavam nele; no melhor dos casos consideravam-no modesto, no geral porém um faroleiro ou simples farsante, para quem o jejum era fácil porque ele conhecia a maneira de torná-lo fácil e ainda por cima tinha o topete de o admitir só pela metade. Ele era obrigado a aceitar tudo isso, mas no correr dos anos se acostumou; no entanto a insatisfação o roía por dentro e nem uma única vez, depois de qualquer período de fome — tinham de conceder-lhe esse crédito —, deixara espontaneamente a jaula. O empresário havia fixado em quarenta dias o prazo máximo de jejum, acima disso ele nunca deixava jejuar nem nas grandes cidades do mundo — e isso por um bom motivo. A experiência mostrava que durante quarenta dias era possível espicaçar o interesse de uma cidade através de uma propaganda ativada gradativamente, mas depois disso o público falhava e se podia verificar uma redução substancial da assistência; naturalmente existiam neste ponto pequenas diferenças segundo as cidades e os países, mas como regra quarenta dias eram o período máximo. Sendo assim, no quadragésimo dia eram abertas as portas da jaula coroada de flores, uma plateia entusiasmada enchia o anfiteatro, uma banda militar tocava, dois médicos entravam na jaula para proceder às medições necessárias no artista da fome, os resultados eram anunciados à sala por um megafone e finalmente duas moças, felizes por terem sido as sorteadas, ajudavam o jejuador a sair da jaula, descendo com ele alguns degraus de escada até uma mesinha onde estava servida uma refeição de doente cuidadosamente selecionada. E neste momento o artista da fome sempre resistia. Na verdade colocava voluntariamente os braços ossudos nas mãos das jovens que se curvavam sobre ele, mas não queria se levantar. Por que parar justamente agora, depois de quarenta dias? Ele poderia aguentar ainda muito tempo, um tempo ilimitado; por que suspender agora, quando estava no melhor, isto é, ainda não estava no melhor do jejum? Por que queriam privá-lo da glória de continuar sem comer, de se tornar não só o maior jejuador de todos os tempos — coisa que provavelmente já era — mas também de superar a si mesmo até o inconcebível, uma vez que não sentia limites para a sua capacidade de passar fome? Por que essa multidão, que fingia admirá-lo tanto, tinha tão pouca paciência com ele? Se ele aguentava continuar jejuando, por que ela não suportava isso? Além do mais ele estava cansado, bem assentado sobre a palha e devia endireitar o corpo todo e caminhar até a comida: só de pensar nela sentia náuseas, cuja exteriorização porém ele reprimia a custo só em consideração às damas. E erguia a vista para os olhos das moças na aparência tão amáveis, mas na verdade tão cruéis, e balançava a cabeça excessivamente pesada sobre o pescoço fraco. Mas então acontecia o mesmo de sempre. O empresário chegava e sem dizer uma palavra — a música tornava qualquer discurso impossível — levantava os braços sobre o artista da fome, como se convidasse o céu a contemplar sua obra sobre a palha, este mártir digno de compaixão — que o artista da fome de fato era, mas num sentido muito diferente; agarrava-o pela cintura delgada, com um cuidado exagerado, como se quisesse fazer acreditar que tinha de lidar aqui com uma coisa muito quebradiça e — não sem sacudi-lo um pouco às escondidas, de tal forma que o artista da fome balançava descontrolado de um lado para outro com as pernas e o tronco — entregava-o às jovens que nesse ínterim tinham ficado mortalmente pálidas. Aí então o jejuador tolerava tudo: a cabeça caía sobre o peito, como se tivesse rolado para lá e ficasse ali sem explicação; o corpo estava esvaziado; as pernas, para se sustentarem, apertavam-se uma contra a outra na altura dos joelhos, raspando o chão como se ele não fosse o verdadeiro — este elas ainda procuravam; e o peso inteiro do corpo, embora bem pequeno, recaía sobre uma das damas que, buscando ajuda, com o fôlego entrecortado — não tinha imaginado desse jeito a missão honorífica —, esticava o mais que podia o pescoço para livrar pelo menos o rosto do contato com o artista da fome. Mas depois, como não o conseguisse e a companheira, mais feliz que ela, não ia em seu socorro — contentando-se em transportar, trêmula, a mão do jejuador, esse pequeno feixe de ossos, sob o riso deliciado da sala —, rompia no choro e precisava ser substituída por um criado havia muito tempo preparado para isso. Em seguida vinha a refeição, na qual o empresário fazia o artista da fome engolir alguma coisa durante um semissono de desmaio em meio a uma conversa divertida que devia desviar a atenção do estado do artista; depois era erguido um brinde ao público, supostamente soprado pelo jejuador ao empresário; a orquestra reforçava tudo com uma grande fanfarra, as pessoas se dispersavam e ninguém tinha o direito de ficar insatisfeito com o acontecimento — ninguém a não ser o artista da fome, só ele, sempre.

Assim viveu muitos anos, com pequenas pausas regulares de descanso, num esplendor aparente, respeitado pelo mundo mas, apesar disso, a maior parte do tempo num estado de humor melancólico, que se tornava cada vez mais sombrio porque ninguém conseguia levá-lo a sério. Aliás, com o que poderia ser consolado? O que lhe restava desejar? E se alguma vez uma pessoa bem-intencionada se compadecia dele e queria explicar que sua tristeza provavelmente vinha da fome, podia acontecer — em especial no estágio avançado do jejum — que respondesse com um acesso de fúria e começasse a sacudir as grades como um animal, para susto de todos. Mas para esses estados o empresário dispunha de um castigo que gostava de aplicar. Desculpava o artista perante o público reunido, admitia que só a irritabilidade provocada pelo jejum — facilmente compreensível por pessoas bem alimentadas — tornava perdoável o comportamento do jejuador; nesse contexto acabava se referindo também à afirmação do artista da fome — igualmente merecedora de um esclarecimento — de que poderia jejuar muito mais ainda do que jejuava; elogiava a elevada ambição, a boa vontade, a grande negação de si mesmo que sem dúvida estavam contidas nessa afirmação; mas depois procurava refutá-la, pura e simplesmente, mostrando fotografias — que eram vendidas naquela hora —, pois nas imagens se via o artista da fome, no quadragésimo dia de jejum, quase extinto de inanição. Essa distorção da verdade, de resto bem conhecida, mas sempre enervante, era demais para o jejuador. O que era consequência do encerramento prematuro do jejum se apresentava aqui como sua causa! Era impossível lutar contra essa incompreensão, contra esse mundo de insensatez. Embora sempre tivesse ouvido de boa-fé o empresário, quando as fotografias apareciam ele largava das grades da jaula, às quais estivera ansiosamente grudado, e afundava outra vez na palha, soluçando; e então o público, acalmado, podia aproximar-se e examiná-lo.

Quando as testemunhas se recordavam dessas cenas, alguns anos mais tarde, muitas vezes não compreendiam a si mesmas. Pois nesse meio-tempo interveio a virada já referida; isso aconteceu quase de repente; devia haver motivos mais profundos, mas quem iria se preocupar em descobri-los? Seja como for, o mimado artista da fome se viu um dia abandonado pela multidão ávida de diversão que preferia afluir a outros espetáculos. O empresário percorreu novamente com ele meia Europa para ver se aqui e ali não se reencontrava o antigo interesse; tudo inútil; como se fosse por um acordo secreto, em toda parte havia se estabelecido uma repulsa contra o espetáculo da fome. É evidente que na realidade isso não poderia ter sucedido de repente e recordava-se agora, com atraso, de muitos presságios que na época da embriaguez do triunfo não tinham sido suficientemente respeitados, nem suficientemente reprimidos; mas agora já era tarde demais para fazer alguma coisa. Certamente os bons tempos do jejum um dia também voltariam, mas para os que viviam naquela época isso não era um consolo. O que o artista da fome podia então fazer? Quem tinha sido aclamado por milhares de pessoas não podia exibir-se em barracas nas pequenas feiras, e para adotar outra profissão o artista estava não só muito velho, mas sobretudo entregue com demasiado fanatismo ao jejum. Sendo assim, demitiu o empresário, companheiro de uma carreira incomparável, e se empregou num grande circo; para poupar a própria suscetibilidade, nem olhou as condições do contrato.

Um grande circo, com seus inúmeros homens, animais e aparelhos que sem cessar se recompõem e se completam, pode utilizar qualquer um a qualquer hora, mesmo um artista da fome — naturalmente se as pretensões dele forem modestas; além disso, neste caso particular não era apenas o próprio jejuador a ser engajado, mas também o seu nome antigo e famoso; de fato não se podia dizer, dada a peculiaridade da sua arte — que com o avanço da idade não diminuía —, que o veterano artista, passado o auge da sua capacidade, queria se refugiar num posto tranquilo do circo; pelo contrário, o artista da fome garantia que jejuava tão bem quanto antes, o que era perfeitamente digno de fé; afirmava até que, se o deixassem fazer sua vontade — e isso lhe prometeram logo —, desta vez ia encher o mundo de justificado espanto; uma declaração, contudo, que só provocou um sorriso nos especialistas, cientes do espírito da época que, no seu zelo, o artista da fome facilmente esquecia.

Mas no fundo o jejuador também não deixou de perceber as condições reais e considerou natural que ele não fosse colocado com sua jaula, como número de destaque, no centro do picadeiro, mas sim fora, num lugar aliás bastante acessível, situado perto dos estábulos. Cartazes grandes e coloridos emolduravam a jaula e anunciavam o que podia ser visto nela. Quando o público, nos intervalos do espetáculo, se comprimia junto às estrebarias para visitar os animais, era quase inevitável que passassem diante do artista da fome e parassem um pouco; talvez permanecessem ali por mais tempo se a multidão que vinha atrás, sem entender aquela parada no meio do caminho aos estábulos, não tornasse impossível uma observação mais prolongada e tranquila. Esse também era o motivo pelo qual o jejuador tremia ao pensar naquelas horas de visita, que ele naturalmente desejava como meta da sua vida. Nos primeiros tempos mal podia esperar os intervalos entre as apresentações; encantado, dirigia o olhar para a multidão que se aproximava, até que logo — nem mesmo o autoengano mais pertinaz e quase consciente resistia às experiências — se convenceu de que o objetivo daquelas pessoas era sempre, sem exceção, visitar os estábulos. O mais belo continuava sendo essa visão à distância. Pois assim que os visitantes se aproximavam dele, ensurdeciam-no os gritos e xingamentos dos dois partidos que sem cessar se formavam — o daqueles que queriam vê-lo confortavelmente (tornou-se em breve o mais penoso para o artista da fome), não por compreensão, mas por capricho e teimosia; e o daqueles que queriam ir diretamente às estrebarias. Passada a grande turba, chegavam os retardatários, mas mesmo estes, a quem nada mais impedia de ficar ali quanto tempo quisessem, apertavam o passo e iam direto, quase sem olhar para o lado, a fim de chegar em tempo de ver os animais. E não era um acaso muito frequente que um pai de família viesse com seus filhos, apontasse o dedo para o jejuador, explicasse em detalhe do que se tratava, contasse coisas de anos passados, quando presenciara apresentações semelhantes, mas incomparavelmente mais grandiosas, e as crianças, em vista do seu preparo insuficiente na escola e na vida, continuavam sem entender — o que significava para elas passar fome? — mas traíam no brilho dos seus olhos perscrutadores algo dos novos tempos vindouros e mais clementes. Talvez — dizia às vezes o jejuador a si mesmo — tudo melhorasse um pouco, se o local da sua exibição não estivesse tão perto dos estábulos. Então a escolha seria mais fácil para as pessoas, sem falar que as exalações das estrebarias, a inquietação dos animais à noite, o transporte dos pedaços de carne crua para as feras, os rugidos durante a alimentação o feriam e deprimiam constantemente. Mas ele não ousava comunicar aquilo à direção; pois ainda assim agradecia aos animais a multidão de visitantes, entre os quais se podia encontrar aqui e ali algum destinado a ele. Como saber em que lugar o esconderiam se ele quisesse lembrar aos outros sua existência e com isso — pensando bem — que era apenas um obstáculo no caminho aos estábulos?

De qualquer forma um pequeno obstáculo, um estorvo que se tornava cada vez menor. As pessoas acostumavam-se à estranheza de se querer chamar a atenção para um artista da fome nos tempos atuais e esse hábito lavrava a sentença contra ele. O jejuador podia jejuar tão bem quanto quisesse — e ele o fazia — mas nada mais podia salvá-lo: passavam reto por ele. Tente explicar a alguém a arte do jejum! Não se pode explicá-la para quem não a sente. Os belos cartazes ficaram sujos e ilegíveis, foram arrancados, não ocorreu a ninguém substituí-los; a pequena tabela com o número dos dias de jejum, que nos primeiros tempos era cuidadosamente renovada, continuava a mesma há muito tempo, pois após as primeiras semanas os próprios funcionários não quiseram mais se dar nem a este pequeno trabalho; assim o artista da fome continuou jejuando como um dia sonhara, e isso não representava nenhum grande esforço para ele, tal como havia previsto. Mas ninguém contava os dias, ninguém, nem mesmo o jejuador conhecia a extensão do seu desempenho, e seu coração ficou pesado. E quando certa vez, nesse tempo, um ocioso se deteve diante da jaula, escarneceu da velha cifra na tabela e falou de embuste, essa foi, à sua maneira, a mais estúpida mentira que a indiferença e a maldade inata puderam inventar, já que não era o artista da fome quem cometia a fraude — ele trabalhava honestamente — mas sim o mundo que o fraudava dos seus méritos.

Passaram-se ainda muitos dias e até isso chegou ao fim. Certa vez um inspetor notou a jaula e perguntou aos serventes por que deixavam sem uso aquela peça perfeitamente aproveitável com palha apodrecida dentro; ninguém sabia, até que um deles, com a ajuda da tabuleta, se lembrou do artista da fome. Levantaram a palha com ancinhos e encontraram nela o jejuador.

— Você continua jejuando? — perguntou o inspetor. — Afinal quando vai parar?

— Peço desculpas a todos — sussurrou o artista da fome; só o inspetor, que estava com o ouvido colado às grades, o entendia.

— Sem dúvida — disse o inspetor, colocando o dedo na testa, para indicar aos funcionários, com isso, o estado mental do jejuador. — Nós o perdoamos.

— Eu sempre quis que vocês admirassem meu jejum — disse o artista da fome.

— Nós admiramos — retrucou o inspetor. — Por que não haveríamos de admirar?

— Mas não deviam admirar — disse o jejuador.

— Bem, então não admiramos — disse o inspetor. — Por que é que não devemos admirar?

— Porque eu preciso jejuar, não posso evitá-lo — disse o artista da fome.

— Bem se vê — disse o inspetor. — E por que não pode evitá-lo?

— Porque eu — disse o jejuador, levantando um pouco a cabecinha e falando dentro da orelha do inspetor com os lábios em ponta, como se fosse um beijo, para que nada se perdesse. — Porque eu não pude encontrar o alimento que me agrada. Se eu o tivesse encontrado, pode acreditar, não teria feito nenhum alarde e me empanturrado como você e todo mundo.

Estas foram suas últimas palavras, mas nos seus olhos embaciados persistia a convicção firme, embora não mais orgulhosa, de que continuava jejuando.

— Limpem isso aqui! — disse o inspetor, e enterraram o artista da fome junto com a palha.

Mas na jaula puseram uma jovem pantera. Era um alívio sensível até para o sentido mais embotado ver aquela fera dando voltas na jaula tanto tempo vazia. Nada lhe faltava. O alimento de que gostava, os vigilantes traziam sem pensar muito; nem da liberdade ela parecia sentir falta: aquele corpo nobre, provido até estourar de tudo o que era necessário, dava a impressão de carregar consigo a própria liberdade; ela parecia estar escondida em algum lugar das suas mandíbulas. E a alegria de viver brotava da sua garganta com tamanha intensidade que para os espectadores não era fácil suportá-la. Mas eles se dominavam, apinhavam-se em torno da jaula e não queriam de modo algum sair dali.

Na colônia penal

Esta novela foi escrita em 1914 e só publicada em 1919. O espaço de tempo relativamente longo foi em parte devido à insatisfação de Kafka com a conclusão da história. Apesar disso, o escritor a leu aos amigos logo após sua composição. Apresentou-a em leitura pública na Galeria Goltz de Munique e nessa ocasião duas senhoras desmaiaram com o impacto.

A consciência do escritor de que a novela tinha relação com algumas obras anteriores é manifesta: em 1915, *Na colônia penal* devia ter sido publicada com *O veredicto* e *A metamorfose* num único volume sob o título *Punições*.

O relato conta as experiências do "explorador" no segundo dia de visita a uma colônia penal situada nos trópicos. A peça está construída em torno do confronto entre o observador — um europeu cético do sistema penal imposto — com o oficial militar que administra desde a morte do velho comandante a máquina de tortura e extermínio. Mas ele está totalmente comprometido com a forma de justiça que o diabólico aparelho oferece.

O narrador das passagens mais longas é o próprio oficial. Ao longo de suas reflexões, ele expõe uma dramática ruptura histórica na vida da colônia penal, marcada pelas atitudes antagônicas do "velho comandante", para estabelecer o sistema e construir a máquina e do "novo comandante", que é hostil ao velho sistema, que procura oportunidades para desmantelá-lo.

A fala do oficial é colorida pela nostalgia em nome dos "velhos tempos" do primeiro comandante, quando a máquina funcionava com perfeição e uma multidão de pessoas assistia às execuções. Sente animosidade em relação ao novo comandante que deixou a máquina decair e deslocou o centro do interesse público para os mecanismos burocráticos do governo. Nesse embate entre o velho e o novo, o antigo e o moderno, o explorador desempenha um papel-chave: o oficial quer levá-lo a ocupar a posição de árbitro que deve julgar o velho sistema superior ao novo. Mas suas esperanças caem por terra quando o explorador se decide inequivocamente contra o velho.

Na sequência, que é a execução do comandante pela máquina, Kafka chega ao auge da ironia: o oficial, que alimentava evidente inveja da "iluminação" das vítimas durante a punição exercida por doze horas pela máquina, não sente essa transformação. Em vez disso, é instantânea e brutalmente assassinado quando a máquina começa a se desmontar.

Depois da morte do comandante, o explorador pode fugir da ilha. Mas antes de partir, descobre a lápide do velho comandante debaixo de uma mesa no salão de chá da colônia. Nela está gravada a profecia de que ele irá levantar-se outra vez, depois de alguns anos, para chefiar os adeptos e reclamar sua autoridade sobre a colônia.

O texto termina quase misteriosamente: o explorador escapa da ilha num bote, seguido pelo condenado e o soldado, que desde o início o vigia, esperando que o explorador o livre do seu destino e permita que deixem a ilha com ele. Mas o explorador, ao partir, faz um gesto de ameaça para os dois, evitando que eles saltem para dentro do bote.

Na colônia penal talvez seja um dos mais brilhantes e sinistros produtos da fértil imaginação de Kafka. A descrição da máquina é tão intricada que faz o leitor imaginar que ela realmente existiu. De qualquer modo, a novela desempenha um papel essencial no desenvolvimento estrutural da arte kafkiana, e seu tema submerso é provavelmente a sequela do colonialismo europeu nos trópicos.

— É um aparelho singular — disse o oficial ao explorador, percorrendo com um olhar até certo ponto de admiração o aparelho que ele no entanto conhecia bem.

O explorador parecia ter aceito só por polidez o convite do comandante, que o havia exortado a assistir à execução de um soldado por desobediência e insulto ao superior. Certamente o interesse pela execução não era muito grande nem na colônia penal. Pelo menos aqui no pequeno vale, profundo e arenoso, cercado de encostas nuas por todos os lados, estavam presentes, além do oficial e do explorador, apenas o condenado, uma pessoa de ar estúpido, boca larga, cabelo e rosto em desalinho, e um soldado que segurava a pesada corrente de onde partiam as correntes menores, com as quais o condenado estava agrilhoado pelos pulsos e cotovelos bem como pelo pescoço e que também se uniam umas às outras por cadeias de ligação. Aliás, o condenado parecia de uma sujeição tão canina que a impressão que dava era a de que se poderia deixá-lo vaguear livremente pelas encostas, sendo preciso apenas que se assobiasse no começo da execução para que ele viesse.

O explorador tinha pouco interesse pelo aparelho e andava de um lado para outro por trás do condenado, com uma indiferença quase visível, enquanto o oficial providenciava os últimos preparativos, ora rastejando sob a máquina assentada fundo na terra, ora subindo uma escada para examinar as partes de cima. Eram trabalhos que na realidade poderiam ter sido deixados para um mecânico, mas o oficial os realizava com grande zelo, seja porque era um adepto especial do aparelho, seja porque não podia, por outras razões, confiar essa tarefa a mais ninguém.

— Agora está tudo pronto! — finalmente exclamou e desceu da escada.

Estava excepcionalmente esgotado, respirava de boca aberta e tinha enfiado à força dois delicados lenços de mulher sob a gola do uniforme.

— Esses uniformes são sem dúvida muito pesados para os trópicos — disse o explorador, ao invés de se informar sobre o aparelho, como o oficial havia esperado.

— É verdade — disse o oficial lavando as mãos encardidas de óleo e graxa num balde de água já à disposição. — Mas eles simbolizam a pátria e a pátria nós não podemos perder.

— Mas agora venha ver este aparelho — acrescentou logo em seguida, enxugando as mãos com uma toalha enquanto apontava para o aparelho. — Até este instante era necessário o trabalho das mãos, mas daqui para a frente ele funciona completamente sozinho.

O explorador assentiu com a cabeça e acompanhou o oficial. Este procurou se assegurar contra qualquer incidente e depois disse:

— Naturalmente surgem problemas; espero na verdade que hoje não apareça nenhum; mas de qualquer modo é preciso contar com eles. O aparelho deve ficar em funcionamento doze horas sem interrupção. Se no entanto houver problemas, eles serão muito pequenos e a solução será imediata.

— O senhor não quer se sentar? — perguntou por fim, puxou de uma pilha uma cadeira de palha e a ofereceu ao explorador.

Este não pôde recusar. Estava agora à beira de um fosso, sobre o qual lançou um olhar fugidio. Não era muito fundo. De um lado do fosso a terra escavada estava amontoada num talude, do outro ficava o aparelho.

— Não sei se o comandante já explicou o aparelho para o senhor — disse o oficial.

O explorador fez um movimento vago com a mão; o oficial não desejava nada melhor, pois agora ele próprio podia explicar o aparelho.

— Este aparelho — disse, segurando uma manivela sobre a qual se apoiou — é uma invenção do nosso antigo comandante. Colaborei desde as primeiras experiências e participei de todos os trabalhos até a conclusão. No entanto o mérito da invenção pertence totalmente a ele. O senhor já ouviu falar do nosso antigo comandante? Não? Bem, não estou falando demais quando digo que a instalação de toda a colônia penal é obra sua. Nós, amigos dele, já sabíamos, por ocasião da sua morte, que a organização dela é tão fechada em si mesma, que o seu sucessor, mesmo tendo na cabeça milhares de planos novos, não poderia mudar nada pelo menos durante muitos anos. Nossa previsão estava certa; o novo comandante teve de reconhecer isso. É uma pena que o senhor não tenha conhecido o antigo comandante! Mas — interrompeu-se o oficial — fico tagarelando e o aparelho está aqui à nossa frente. Como se vê, ele se compõe de três partes. Com o correr do tempo surgiram denominações populares para cada uma delas. A parte de baixo tem o nome de cama, a de cima de desenhador e a do meio, que oscila entre as duas, se chama rastelo.

— Rastelo? — perguntou o explorador.

Ele não tinha escutado com muita atenção, o sol forte demais se enredava no vale sem sombras, era com dificuldade que se juntavam os pensamentos. Tanto mais digno de admiração lhe parecia o oficial, que, na sua farda justa, própria para um desfile, carregada de dragonas, guarnecida de cordões, dava as explicações com tamanho fervor — além do que, enquanto falava, apertava aqui e ali um parafuso com uma chave de fenda. O soldado parecia estar num estado semelhante ao do explorador. Tinha enrolado a corrente do condenado em volta dos pulsos, apoiava-se com uma das mãos sobre o fuzil e, deixando a cabeça pender sobre a nuca, não se interessava por nada. O explorador não ficou espantado com isso, pois o oficial falava francês e certamente nem o condenado nem o soldado entendiam francês. De qualquer modo, chamava ainda mais a atenção o fato de que o condenado, apesar disso, se esforçasse para seguir as explicações do oficial. Com uma espécie de pertinácia sonolenta, dirigia o olhar para onde quer que o oficial apontasse e quando este então foi interrompido pelo explorador com uma pergunta, também ele, da mesma forma que o oficial, olhou para o explorador.

— É, rastelo — disse o oficial. — O nome combina. As agulhas estão dispostas como as grades de um rastelo e o conjunto é acionado como um rastelo, embora se limite a um mesmo lugar e exija muito maior perícia. Aliás, o senhor vai compreender logo. Aqui sobre a cama coloca-se o condenado. Quero no entanto primeiro descrever o aparelho e só depois fazê-lo funcionar eu mesmo. Aí o senhor poderá acompanhá-lo melhor. No desenhador há uma engrenagem muito gasta, ela range bastante quando está em movimento, nessa hora mal dá para entender o que se fala; aqui infelizmente é muito difícil obter peças de reposição. Muito bem: como eu disse, esta é a cama. Está totalmente coberta com uma camada de algodão; o senhor ainda vai saber qual é o objetivo dela. O condenado é posto de bruços sobre o algodão, naturalmente nu; aqui estão, para as mãos, aqui para os pés e aqui para o pescoço, as correias para segurá-lo firme. Aqui na cabeceira da cama, onde, como eu disse, o homem apoia primeiro a cabeça, existe este pequeno tampão de feltro, que pode ser regulado com a maior facilidade, a ponto de entrar bem na boca da pessoa. Seu objetivo é impedir que ela grite ou morda a língua. Evidentemente o homem é obrigado a admitir o feltro na boca, pois caso contrário as correias do pescoço quebram sua nuca.

— Isso é algodão? — perguntou o explorador, inclinando-se para a frente.

— Sem dúvida — respondeu sorrindo o oficial. — Sinta o senhor mesmo.

Pegou a mão do explorador e passou-a sobre a cama.

— É um algodão especialmente preparado, por isso parece tão irreconhecível; ainda volto a falar sobre a sua finalidade.

O explorador já estava um pouco conquistado pelo aparelho; protegendo-se contra o sol com a mão sobre os olhos, levantou a vista para ele. Era uma estrutura bem grande. A cama e o desenhador tinham as mesmas dimensões e pareciam duas arcas escuras. O desenhador estava disposto a cerca de dois metros sobre a cama; ambos se ligavam nas pontas por quatro barras de latão que quase emitiam raios sob o sol. Entre as arcas oscilava, preso a uma fita de aço, o rastelo.

O oficial mal tinha notado antes a indiferença do explorador, mas estava alerta para o interesse que agora aflorava; por isso suspendeu as explicações para dar ao explorador tempo para uma contemplação tranquila. O condenado imitou o explorador; já que não podia colocar a mão acima dos olhos, ficou piscando para o alto com a vista desprotegida.

— Pois bem, o homem agora está deitado — disse o explorador enquanto se recostava na cadeira e cruzava as pernas.

— Sim — disse o oficial, empurrando o quepe um pouco para trás e passando a mão pelo rosto acalorado. — Agora ouça: tanto a cama como o desenhador têm bateria elétrica própria; a cama precisa da energia para si mesma, o desenhador para o rastelo. Assim que o homem está manietado, a cama é posta em movimento. Ela vibra com sacudidas mínimas e muito rápidas simultaneamente para os lados, para cima e para baixo. O senhor deve ter visto aparelhos semelhantes em casas de saúde; a diferença é que na nossa cama todos os movimentos são calculados com precisão; de fato eles precisam estar em estrita consonância com os movimentos do rastelo. Mas é a este que se entrega a execução propriamente dita da sentença.

— E o que diz a sentença? — perguntou o explorador.

— Nem isso o senhor sabe? — retrucou com espanto o oficial, mordendo os lábios. — Perdoe-me se por acaso minhas explicações estão fora de ordem; peço-lhe muitas desculpas. Antigamente era o comandante que costumava dá-las, mas o novo furtou-se a esse dever de honra; que ele no entanto, a um visitante tão ilustre — o explorador tentou repelir a homenagem com ambas as mãos, mas o oficial insistiu na expressão —, que a um visitante tão ilustre ele não informe nem mesmo sobre a forma da sentença, é outra inovação que —

Tinha uma praga entre os lábios, mas se conteve e disse apenas:

— Não fui cientificado disso, a culpa não é minha. Seja como for, aliás, estou nas melhores condições de esclarecer nossos tipos de sentença, pois trago aqui — bateu no bolso do peito — os desenhos correspondentes, feitos à mão pelo antigo comandante.

— Desenhos feitos pelo próprio comandante? — perguntou o explorador. — Então ele reunia em si mesmo todas as coisas? Era soldado, juiz, construtor, químico, desenhista?

— Certamente — disse o oficial meneando a cabeça com o olhar fixo e pensativo.

A seguir inspecionou as mãos; elas não lhe pareceram suficientemente limpas para pegar nos desenhos; por isso foi até o balde e lavou-as outra vez. Depois tirou do bolso uma pequena carteira de couro e disse:

— Nossa sentença não soa severa. O mandamento que o condenado infringiu é escrito no seu corpo com o rastelo. No corpo deste condenado, por exemplo — o oficial apontou para o homem —, será gravado: *Honra o teu superior!*

O explorador levantou fugazmente os olhos na direção do homem; este manteve a cabeça baixa quando o oficial apontou para ele, parecendo concentrar toda a energia da audição para ficar sabendo de alguma coisa. Mas o movimento dos seus lábios protuberantes e comprimidos mostrava claramente que não conseguia entender nada. O explorador queria perguntar diversas coisas, mas à vista do homem indagou apenas:

— Ele conhece a sentença?

— Não — disse o oficial, e logo quis continuar com as suas explicações.

Mas o explorador o interrompeu:

— Ele não conhece a própria sentença?

— Não — repetiu o oficial e estacou um instante, como se exigisse do explorador uma fundamentação mais detalhada da sua pergunta; depois disse:

— Seria inútil anunciá-la. Ele vai experimentá-la na própria carne.

O explorador já estava querendo ficar quieto quando sentiu que o condenado lhe dirigia o olhar; parecia indagar se ele podia aprovar o procedimento descrito. Por isso o explorador, que já tinha se recostado, inclinou-se de novo para a frente e ainda perguntou:

— Mas ele certamente sabe que foi condenado, não?

— Também não — disse o oficial e sorriu para o explorador, como se ainda esperasse dele algumas manifestações insólitas.

— Não — disse o explorador passando a mão pela testa. — Então até agora o homem ainda não sabe como foi acolhida sua defesa?

— Ele não teve oportunidade de se defender — disse o oficial, olhando de lado como se falasse consigo mesmo e não quisesse envergonhar o explorador com o relato de coisas que lhe eram tão óbvias.

— Mas ele deve ter tido oportunidade de se defender — disse o explorador erguendo-se da cadeira.

O oficial se deu conta de que corria perigo de ser interrompido por longo tempo na explicação do aparelho; por isso caminhou até o explorador, tomou-o pelo braço, indicou com a mão o condenado, que agora se punha em posição de sentido, já que a atenção se dirigia a ele com tanta evidência — o soldado também deu um puxão na corrente —, e disse:

— As coisas se passam da seguinte maneira. Fui nomeado juiz aqui na colônia penal. Apesar da minha juventude. Pois em todas as questões penais estive lado a lado com o comandante e sou também o que melhor conhece o aparelho. O princípio segundo o qual tomo decisões é: a culpa é sempre indubitável. Outros tribunais podem não seguir esse princípio, pois são compostos por muitas cabeças e além disso se subordinam a tribunais mais altos. Aqui não acontece isso, ou pelo menos não acontecia com o antigo comandante. O novo entretanto já mostrou vontade de se intrometer no meu tribunal, mas até agora consegui rechaçá-lo — e vou continuar conseguindo. O senhor queria que eu lhe esclarecesse este caso; é tão simples como todos os outros. Hoje de manhã um capitão apresentou a denúncia de que este homem, que foi designado seu ordenança e dorme diante da sua porta, dormiu durante o serviço. Na realidade ele tem o dever de se levantar a cada hora que soa e bater continência diante da porta do capitão. Dever sem dúvida nada difícil, mas necessário, pois ele precisa ficar desperto tanto para vigiar como para servir. Na noite de ontem o capitão quis verificar se o ordenança cumpria o seu dever. Abriu a porta às duas horas e o encontrou dormindo todo encolhido. Pegou o chicote de montaria e vergastou-o no rosto. Ao invés de se levantar e pedir perdão, o homem agarrou o superior pelas pernas, sacudiu-o e disse: "Atire fora o chicote ou eu o engulo vivo!". São estes os fatos. Faz uma hora o capitão se dirigiu a mim, tomei nota das suas declarações e em seguida lavrei a sentença. Depois determinei que pusessem o homem na corrente. Tudo isso foi muito simples. Se eu tivesse primeiro intimado e depois interrogado o homem, só teria surgido confusão. Ele teria mentido, e se eu o tivesse desmentido, teria substituído essas mentiras por outras e assim por diante. Mas agora eu o agarrei e não o largo mais. Está tudo esclarecido? Mas o tempo está passando, a execução já deveria começar e ainda não acabei de explicar o aparelho.

Fez com que o explorador se sentasse na cadeira, voltou ao aparelho e começou:

— Como o senhor vê, o rastelo corresponde à forma do ser humano; este aqui é o rastelo para o tronco, estes outros os rastelos para as pernas. Para a cabeça está destinado apenas este pequeno estilete. Está claro?

Inclinou-se amavelmente em direção ao explorador, pronto para esclarecimentos mais abrangentes.

Com o cenho franzido o explorador observou o rastelo. As informações sobre o procedimento judicial não o tinham deixado satisfeito. Teve contudo de admitir a si mesmo que aqui se tratava de uma colônia penal, que aqui eram necessárias medidas excepcionais e que se precisava proceder até o limite de modo militar. Além disso depositava alguma esperança no novo comandante, que, embora devagar, pretendia evidentemente introduzir um procedimento novo que não podia entrar na cabeça limitada deste oficial. Partindo desse raciocínio o explorador perguntou:

— O comandante vai assistir à execução?

— Não é certeza — disse, dolorosamente tocado pela pergunta sem mediações, o oficial, cuja expressão amigável se descompôs. — Exatamente por isso precisamos nos apressar. Por mais que o lamente, vou ter até de abreviar minhas explicações. Mas amanhã, quando o aparelho estiver outra vez limpo — seu único defeito é ficar tão sujo —, poderia acrescentar os esclarecimentos mais pormenorizados. Agora, portanto, só o estritamente necessário. Quando o homem está deitado na cama e esta começa a vibrar, o rastelo baixa até o corpo. Ele se posiciona automaticamente de tal forma que toca o corpo apenas com as pontas; quando o contato se realiza, este cabo de força fica imediatamente rígido como uma barra. E aí começa a função. O não iniciado não nota por fora nenhuma diferença nas punições. O rastelo parece trabalhar de maneira uniforme. Vibrando, ele finca suas pontas no corpo, que além disso vibra por causa da cama. Para possibilitar que todos vistoriem a execução da sentença, o rastelo foi feito de vidro. Fixar nele as agulhas deu origem a algumas dificuldades técnicas, mas depois de muitas tentativas o objetivo foi alcançado. Não poupamos esforços para isso. E agora qualquer um pode ver através do vidro como se realiza a inscrição no corpo. O senhor não quer chegar mais perto para observar as agulhas?

O explorador ergueu-se devagar, andou até lá e se inclinou sobre o rastelo.

— O senhor está vendo dois tipos de agulhas em disposições variadas — disse o oficial. — Cada agulha comprida tem ao seu lado uma curta. A comprida é a que escreve, a curta esguicha água para lavar o sangue e manter a escrita sempre clara. A água e o sangue são depois conduzidos aqui nestas canaletas e escorrem por fim para a canaleta principal, cujo cano de escoamento leva ao fosso.

O oficial indicava com o dedo o caminho exato que a água e o sangue tinham de seguir. Quando, para tornar o quadro o mais vívido possível, o oficial literalmente ficou com as mãos em concha para recolher o fluxo na embocadura do cano de escoamento, o explorador suspendeu a cabeça e, tateando com a mão para trás, quis recuar até a sua cadeira. Viu então com horror que o condenado havia, como ele, seguido o convite do oficial para examinar de perto a disposição do rastelo. Ele tinha arrastado um pouco o soldado sonolento pela corrente e também se debruçara sobre o vidro. Via-se como buscava, com o olhar incerto, aquilo que os dois senhores tinham observado, mas não conseguia, já que lhe faltava a explicação. Inclinava-se para cá e para lá. Percorria o vidro continuamente com o olhar. O explorador quis afastá-lo, pois o que estava fazendo provavelmente era passível de punição. Mas o oficial reteve firmemente o explorador com uma mão, com a outra pegou um torrão de terra do talude e atirou-o em direção ao soldado. Este levantou os olhos num sobressalto, viu o que o condenado tinha ousado fazer, deixou o fuzil cair, fincou os tacões no chão, puxou o condenado com tanta força para trás que ele logo caiu e o fitou de cima para baixo, enquanto o condenado se contorcia fazendo as correntes rangerem.

— Ponha-o em pé! — gritou o oficial, pois notou que a atenção do explorador estava sendo desviada demais pelo condenado.

O explorador chegou a se inclinar sobre o rastelo, sem se importar com ele, interessado apenas em verificar o que acontecia com o condenado.

— Trate-o com cuidado! — gritou de novo o oficial.

Deu a volta em torno do aparelho e agarrou pessoalmente pelas axilas o condenado que às vezes escorregava e com a ajuda do soldado colocou-o de pé.

— Já sei tudo agora — disse o explorador quando o oficial se dirigiu de volta a ele.

— Tudo, menos o mais importante — disse o oficial segurando o explorador pelo braço e apontando para cima. — Lá no desenhador ficam as engrenagens que comandam o movimento do rastelo; elas estão dispostas segundo o desenho que acompanha o teor da sentença. Eu ainda uso os desenhos do antigo comandante. Aqui estão eles — puxou algumas folhas da carteira de couro —, mas infelizmente não os posso pôr na sua mão, são a coisa mais preciosa que eu tenho. Sente-se, eu os mostro ao senhor desta distância, assim poderá ver tudo bem.

Mostrou a primeira folha. O explorador gostaria de dizer algo aprovador, mas enxergava apenas linhas labirínticas, que se cruzavam umas com as outras de múltiplas maneiras e cobriam o papel tão densamente que só com esforço se distinguiam os espaços em branco entre elas.

— Leia — disse o oficial.

— Não consigo — disse o explorador.

— Mas está nítido — disse o oficial.

— Muito engenhoso — disse evasivamente o explorador. — Mas não consigo decifrar nada.

— Sim — disse o oficial rindo e guardando de novo a carteira. — Não é caligrafia para escolares. É preciso estudá-la muito tempo. Sem dúvida o senhor também acabaria entendendo. Naturalmente não pode ser uma escrita simples, ela não deve matar de imediato, mas em média só num espaço de tempo de doze horas; o ponto de inflexão é calculado para a sexta hora. É preciso portanto que muitos floreios rodeiem a escrita propriamente dita; esta só cobre o corpo numa faixa estreita; o resto é destinado aos ornamentos. O senhor consegue agora apreciar o trabalho do rastelo e de todo o aparelho? Veja!

Saltou sobre a escada, girou uma engrenagem e gritou para baixo:

— Atenção, fique de lado!

Tudo entrou em movimento. Se a engrenagem não rangesse seria magnífico. Como se estivesse surpreso com a perturbação que ela provocava, o oficial a ameaçou com o punho; depois, desculpando-se, abriu os braços para o explorador e desceu apressadamente a escada, para observar o aparelho por baixo. Ainda havia alguma coisa que não estava em ordem e que só ele percebia; subiu outra vez a escada, enfiou as duas mãos no interior do desenhador; em seguida, para descer mais depressa, escorregou por uma das barras ao invés de usar a escada e, para se fazer entender no meio do barulho, gritou com o máximo de força no ouvido do explorador:

— Compreende o processo? O rastelo começa a escrever; quando o primeiro esboço de inscrição nas costas está pronto, a camada de algodão rola, fazendo o corpo virar de lado lentamente, a fim de dar mais espaço para o rastelo. Nesse ínterim as partes feridas pela escrita entram em contato com o algodão, o qual, por ser um produto de tipo especial, estanca instantaneamente o sangramento e prepara o corpo para novo aprofundamento da escrita. Então, à medida que o corpo continua a virar, os dentes na extremidade do rastelo removem o algodão das feridas, atiram-no ao fosso e o rastelo tem trabalho outra vez. Assim ele vai escrevendo cada vez mais fundo durante as doze horas. Nas primeiras seis o condenado vive praticamente como antes, apenas sofre dores. Depois de duas horas é retirado o tampão de feltro, pois o homem já não tem mais força para gritar. Aqui nesta tigela aquecida por eletricidade, na cabeceira da cama, é colocada papa de arroz quente, da qual, se tiver vontade, o homem pode comer o que consegue apanhar com a língua. Nenhum deles perde a oportunidade. Eu pelo menos não conheço nenhum, e minha experiência é grande. Só na sexta hora ele perde o prazer de comer. Nesse momento, em geral eu me ajoelho aqui e observo o fenômeno. Raramente o homem engole o último bocado, apenas o revolve na boca e o cospe no fosso. Preciso então me agachar, senão escorre no meu rosto. Mas como o condenado fica tranquilo na sexta hora! O entendimento ilumina até o mais estúpido. Começa em volta dos olhos. A partir daí se espalha. Uma visão que poderia seduzir alguém a se deitar junto embaixo do rastelo. Mais nada acontece, o homem simplesmente começa a decifrar a escrita, faz bico com a boca como se estivesse escutando. O senhor viu como não é fácil decifrar a escrita com os olhos; mas o nosso homem a decifra com os seus ferimentos. Seja como for exige muito trabalho; ele precisa de seis horas para completá-lo. Mas aí o rastelo o atravessa de lado a lado e o atira no fosso, onde cai de estalo sobre o sangue misturado à água e o algodão. A sentença está então cumprida e nós, eu e o soldado, o enterramos.

O explorador tinha inclinado o ouvido para o oficial e, as mãos no bolso da jaqueta, observava o trabalho da máquina. O condenado também olhava, mas sem entender. Curvou-se um pouco e estava seguindo o movimento das agulhas quando, a um sinal do oficial, o soldado, com uma faca, lhe cortou por trás a camisa e as calças, de tal modo que elas caíram; o condenado ainda quis segurar a roupa para cobrir a nudez, mas o soldado o levantou no ar e arrancou dele os últimos trapos. O oficial desligou a máquina e no silêncio que então se seguiu o condenado foi colocado sob o rastelo. As correntes foram soltas e no lugar delas amarradas as correias; no primeiro momento isso pareceu significar quase um alívio para o condenado. E então o rastelo baixou mais um pouco, pois o homem era magro. Quando as pontas o tocaram, um arrepio percorreu sua pele; enquanto o soldado estava ocupado com sua mão direita, ele esticou a esquerda sem saber para onde; mas era na direção de onde estava o explorador. O oficial observava de lado, continuamente, o explorador, como se quisesse ler no seu rosto a impressão que lhe causava a execução que ele havia explicado pelo menos superficialmente.

A correia que se destinava ao pulso rebentou; provavelmente o soldado a tinha esticado demais. O oficial tinha de ajudar, o soldado lhe mostrava um pedaço da correia rebentada. O oficial foi até onde ele estava e, com o rosto voltado para o explorador, disse:

— A máquina é muito complexa, aqui e ali alguma coisa tem de rebentar ou quebrar; mas não se deve por isso chegar a um falso julgamento do conjunto. Para a correia, aliás, arranja-se logo um substituto; vou usar uma corrente; com isso no entanto fica prejudicada a delicadeza da vibração para o braço direito.

E enquanto colocava a corrente, acrescentou:

— Os recursos para a manutenção da máquina agora estão muito limitados. Sob o antigo comandante eu tinha livre acesso a um fundo destinado só para isso. Havia aqui um armazém onde eram guardadas todas as peças de reposição possíveis. Confesso que desse modo eu chegava quase ao desperdício — digo antes, não agora, como afirma o novo comandante, para quem tudo serve de pretexto para combater as velhas instituições. Agora ele próprio administra o fundo para a máquina, e se eu solicito uma correia nova, é exigida a que rebentou como prova e a nova só vem em dez dias, mas é de qualidade inferior e não serve para quase nada. Mas uma coisa com que ninguém se preocupa é como nesse ínterim eu vou fazer a máquina funcionar sem correia.

O explorador pensou consigo: é sempre problemático intervir com determinação em assuntos estrangeiros. Ele não era membro da colônia penal nem cidadão do Estado a que ela pertencia. Se quisesse condenar esta execução ou mesmo tentar impedi-la, poderiam lhe dizer: você é um estrangeiro, fique quieto. A isso ele não poderia replicar nada, apenas acrescentar que não compreendia sua própria situação neste caso, pois estava viajando com o único intuito de observar e não, de forma alguma, para mudar procedimentos judiciais estrangeiros. Fosse como fosse, porém, as coisas aqui se colocavam de maneira muito tentadora. A injustiça do processo e a desumanidade da execução estavam fora de dúvida. Ninguém poderia supor qualquer benefício em causa própria por parte do observador, pois o condenado era uma pessoa estranha a ele, não era seu compatriota e não demandava nenhuma compaixão. O explorador tinha recomendações de altos funcionários, fora recebido aqui com grande cortesia e o fato de ter sido convidado para esta execução parecia até sugerir que solicitavam a sua opinião sobre este julgamento. Isso era tanto mais provável porque o comandante, conforme tinha ouvido agora da maneira mais clara, não era adepto desse procedimento e se comportava quase com hostilidade em relação ao oficial.

Nesse momento o explorador ouviu um grito de raiva do oficial. Ele tinha acabado de enfiar, não sem esforço, o tampão de feltro na boca do condenado, quando este, num acesso irresistível de náusea, fechou os olhos e vomitou. Para afastá-lo do tampão, o oficial o ergueu rapidamente, enquanto tentava virar sua cabeça para o fosso; mas era tarde demais, a sujeira já escorria pelo aparelho.

— Tudo culpa do comandante! — berrou o oficial, sacudindo, fora de si, as barras de latão da frente. — Sujam-me o aparelho como se fosse uma estrebaria.

Com as mãos trêmulas, mostrou ao explorador o que tinha acontecido.

— Não tentei horas a fio fazer o comandante entender que um dia antes da execução não se deve mais dar comida ao condenado? Mas a nova orientação, benevolente, pensa de outro modo. As senhoras do comandante entopem de doces o homem antes que ele seja conduzido para cá. Durante a vida inteira ele se alimentou de peixes fedidos e agora tem de comer doces! Seria até possível, eu não teria nada contra, mas por que não providenciam um feltro novo, como solicitei faz três meses? Como é que se pode enfiar sem nojo na boca este feltro que mais de cem homens já chuparam e morderam na hora de morrer?

O condenado tinha baixado a cabeça e parecia em paz, o soldado estava ocupado em limpar a máquina com a camisa do condenado. O oficial caminhou até o explorador, que pressentindo alguma coisa recuou um passo; mas o oficial o segurou pelo braço, puxando-o para o lado.

— Quero falar-lhe em confiança algumas coisas, o senhor me permite, não é?

— Certamente — disse o explorador, escutando com os olhos baixos.

— Tanto o procedimento como a execução que o senhor está tendo oportunidade de admirar não têm no momento mais nenhum adepto declarado em nossa colônia. Sou o seu único defensor e ao mesmo tempo o único que defende a herança do antigo comandante. Não posso mais cogitar nenhuma ampliação do processo, despendo todas as energias para preservar o que existe. Quando o antigo comandante era vivo, a colônia estava cheia de adeptos seus; tenho em parte a força de convicção dele, mas me falta inteiramente o seu poder; em vista disso os adeptos se esconderam, existem muitos ainda, mas nenhum o admite. Se o senhor for à casa de chá hoje, ou seja, num dia de execução, e ficar escutando em volta, talvez ouça apenas declarações ambíguas. São todos fiéis, mas sob o atual comandante e seus atuais pontos de vista, eles não me servem para coisa alguma. E agora eu lhe pergunto: será que por causa desse comandante e das mulheres que o influenciam deve perecer a obra de toda uma vida, como esta? — e apontou para a máquina. — Pode-se permitir uma coisa dessas, mesmo que só se esteja passando alguns dias em nossa ilha como estrangeiro? Mas não há tempo a perder, estão preparando alguma coisa contra o meu poder judicial; já se realizam reuniões de consulta no comando, para as quais não sou convocado; mesmo a visita do senhor, hoje, parece significativa da minha situação; são covardes e mandam à frente o senhor, um estrangeiro. Como era diferente a execução nos velhos tempos! Já um dia antes o vale inteiro estava superlotado de gente; todos vinham só para ver; de manhã cedo o comandante aparecia com as suas damas; as fanfarras acordavam todo o acampamento; eu fazia o anúncio de que estava tudo pronto; a sociedade

— nenhum alto funcionário podia faltar — se alinhava em volta da máquina; esta pilha de cadeiras de palha é um pobre resquício daqueles tempos. A máquina, polida pouco antes, resplendia; praticamente a cada execução eu dispunha de peças novas. Diante de centenas de olhos — todos os espectadores ficavam nas pontas dos pés até aquela elevação — o condenado era posto sob o rastelo pelo próprio comandante. O que hoje um soldado raso pode fazer era naquela época tarefa minha, presidente do tribunal, e ela me honrava. E então começava a execução! Nenhum som discrepante perturbava o trabalho da máquina. Muitos já nem olhavam mais, ficavam deitados na areia com os olhos cerrados; todos sabiam: agora se faz justiça. No silêncio só se ouviam os suspiros do condenado, abafados pelo feltro. Hoje a máquina já não consegue extrair do condenado um gemido mais forte que o feltro ainda não possa sufocar, mas antes as agulhas que escrevem borrifavam um líquido cáustico, cujo emprego não é mais permitido. Bem, então chegava a sexta hora! Era impossível atender a todos os pedidos para ficar olhando de perto. O comandante, com a visão que tinha das coisas, determinava que sobretudo as crianças deviam ser levadas em consideração; eu no entanto podia permanecer lá graças à minha profissão; muitas vezes ficava agachado no lugar com duas crianças pequenas no colo, uma à esquerda e outra à direita. Como captávamos todos a expressão de transfiguração no rosto martirizado, como banhávamos as nossas faces no brilho dessa justiça finalmente alcançada e que logo se desvanecia! Que tempos aqueles, meu camarada!

O oficial evidentemente esquecera quem estava à sua frente; tinha abraçado o explorador e posto a cabeça no seu ombro. O explorador estava profundamente embaraçado e olhava para a distância por cima do oficial. O soldado havia terminado o trabalho de limpeza na máquina e agora despejava papa de arroz de uma lata na tigela. Mal percebeu isso, o condenado, que já parecia ter se recuperado plenamente, começou a apanhar papa de arroz com a língua. O soldado o repelia sempre, pois sem dúvida a papa estava prevista para mais tarde, assim como era igualmente impróprio que o soldado enfiasse as mãos sujas na comida para comê-la na frente do condenado ávido.

O oficial se recompôs rápido.

— Eu não estava querendo emocioná-lo — disse ele. — Sei que é impossível dar hoje uma ideia do que foram aqueles tempos. Além disso, a máquina ainda funciona e produz sozinha os seus efeitos. Funciona mesmo quando está a sós neste vale. E o cadáver continua no final a cair num voo inconcebivelmente suave no fosso, ainda que não se juntem em volta dele, como moscas, centenas de pessoas como antes. Antigamente tínhamos de instalar em torno do fosso um corrimão forte, retirado dali já faz muito tempo.

O explorador queria desviar do oficial o próprio rosto, olhando ao redor sem um alvo definido. O oficial julgou que ele contemplava o ermo do vale, por isso agarrou-lhe as mãos, girou em volta dele para encará-lo e perguntou:

— O senhor está vendo que vergonha?

Mas o explorador ficou em silêncio. O oficial se afastou por um instante; com as pernas apartadas, as mãos nos quadris, permaneceu quieto, olhando para o chão. Depois sorriu para o explorador, com a intenção de encorajá-lo, e disse:

— Ontem eu estava perto do senhor, quando o comandante o convidou. Ouvi o convite. Conheço o comandante. Entendi imediatamente o que pretendia com o convite. Embora o poder dele seja suficientemente grande para investir contra mim, ele ainda não ousa fazer isso, mas quer sem dúvida me expor ao julgamento de um estrangeiro ilustre como o senhor. Seus cálculos são cuidadosos; o senhor está pelo segundo dia na ilha, não conheceu o antigo comandante nem suas ideias, mantém-se preso à visão europeia das coisas, talvez seja um opositor decidido da pena de morte em geral e em particular deste tipo de execução mecânica; além disso, vê como a execução se processa sem participação pública, triste, numa máquina já um tanto avariada — juntando tudo isso, não seria bem provável (assim pensa o comandante) que o senhor considerasse o meu procedimento incorreto? E se o senhor não o considera correto, não silenciará sua opinião (continuo falando do ponto de vista do comandante), uma vez que certamente confia nas suas convicções tantas vezes comprovadas. Efetivamente o senhor viu muitas peculiaridades de muitos povos e aprendeu a respeitá-las; por isso é provável que não vá se pronunciar contra este procedimento com toda a energia, como talvez em seu próprio país. Mas disso o comandante não precisa de modo algum. Basta uma palavra passageira, uma simples palavra descuidada. Ela não precisa nem corresponder às convicções do senhor, ainda que só na aparência atenda ao desejo dele. Estou certo de que ele o vai encher de perguntas com a maior astúcia. E as damas ficarão sentadas em círculo, aguçando os ouvidos; o senhor dirá talvez: "No meu país o procedimento judicial é diferente", ou "No meu país o acusado é interrogado antes da sentença", ou "No meu país o condenado tem ciência da condenação", ou "No meu país existem outras punições que não a pena de morte", ou "No meu país só houve torturas na Idade Média". Todas estas observações são tão corretas quanto lhe parecem naturais, observações inocentes que não incidem sobre o meu procedimento. Mas como o comandante irá recebê-las? Já o estou vendo, o bom comandante, pôr imediatamente de lado a cadeira e ir às pressas para o balcão, vejo as damas o imitarem, ouço a voz dele — as senhoras dizem que é uma voz de trovão — e ele então afirmar: "Um grande pesquisador do Ocidente, encarregado de examinar o procedimento judicial em todos os países, acabou de declarar que o nosso antigo procedimento é desumano. Depois do juízo de uma personalidade como essa, naturalmente não me é mais possível tolerar este procedimento. Portanto, no dia de hoje, determino etc.". O senhor quer intervir, o senhor não disse o que ele proclama, o senhor não chamou o meu procedimento de desumano, pelo contrário, de acordo com a sua percepção mais profunda, o senhor o considera o mais humano e o mais digno de todos, o senhor também admira esse maquinismo — mas é tarde demais; o senhor não consegue nem chegar ao balcão, que já está tomado pelas damas; o senhor quer se fazer notar; o senhor quer gritar; mas uma mão de mulher tapa a sua boca — e com isso eu e a obra do antigo comandante estamos perdidos.

O explorador teve de reprimir um sorriso; então era fácil assim a tarefa que ele havia considerado tão difícil. Disse evasivamente:

— O senhor superestima minha influência; o comandante leu minha carta de recomendação, ele sabe que não sou um perito em procedimento judicial. Se eu expressasse uma opinião, seria a de um cidadão particular, em nada mais importante que a opinião de qualquer outro, e seja como for muito menos importante que a do comandante, que nesta colônia, segundo acredito, tem direitos muito amplos. Se a opinião dele sobre o procedimento é tão determinada como o senhor julga, então eu temo ter chegado o fim desse procedimento sem a menor necessidade da minha modesta colaboração.

Será que o oficial já estava entendendo? Não, ele ainda não entendia. Sacudiu a cabeça com vivacidade, voltou um instante o olhar para o condenado e o soldado, que estremeceram e se afastaram do arroz, chegou bem perto do explorador, não fitou seu rosto, mas sim algum ponto da sua jaqueta e disse em voz mais baixa que antes:

— O senhor não conhece o comandante; diante dele e de todos nós o senhor — desculpe a expressão — está na posição do inocente; sua influência, acredite em mim, não pode ser estimada num nível suficientemente alto. Fiquei feliz quando ouvi que o senhor deveria assistir sozinho à execução. Essa decisão do comandante pretendia me atingir, mas agora eu a reverto em meu favor. Sem ser influenciado por falsas insinuações e olhares de desprezo — como não se poderia evitar no caso de uma participação mais ampla na execução — o senhor escutou minhas explicações, viu a máquina e agora está na iminência de assistir à execução. Certamente o seu julgamento já está firmado; se ainda houver pequenas dúvidas, elas serão eliminadas à vista da execução. E agora apresento ao senhor o seguinte pedido: ajude-me diante do comandante!

O explorador não o deixou continuar falando.

— Como poderia fazer isso? — exclamou. — É completamente impossível! Posso ajudá-lo tão pouco quanto prejudicá-lo.

— O senhor pode — disse o oficial.

O explorador viu com um certo receio que o oficial cerrava os punhos.

— O senhor pode — repetiu o oficial com mais insistência. — Tenho um plano que tem de dar certo. O senhor julga que sua influência é insuficiente. Eu sei que ela é suficiente. Mas mesmo admitindo que o senhor tenha razão, não é preciso tentar até o inexequível para conservar este procedimento? Ouça portanto o meu plano. Para realizá-lo é necessário sobretudo que o senhor se mantenha hoje na colônia o mais reservado possível sobre o procedimento. Se não for diretamente perguntado, não deve de modo algum se pronunciar; mas suas declarações precisam ser breves e indefinidas; as pessoas devem perceber que lhe é difícil falar sobre esse assunto, que o senhor está amargurado, que caso devesse falar abertamente irromperia em claras imprecações. Eu não exijo que o senhor deva mentir; de maneira alguma; o senhor deve apenas responder secamente, como por exemplo: "Sim, eu vi a execução", ou "Sim, escutei todas as explicações". Só isso, nada mais. Para a acrimônia que se deve notar no senhor existe motivo suficiente, mesmo que não seja da perspectiva do comandante. Naturalmente ele irá entender tudo errado e interpretar segundo o ponto de vista dele. É nisso que se baseia meu plano. Amanhã se realiza na sede do comando, sob a presidência do comandante, uma grande reunião de todos os altos funcionários da administração. Evidentemente o comandante conseguiu fazer um espetáculo dessas reuniões. Foi construída uma galeria, que está sempre lotada de espectadores. Eu sou obrigado a participar das deliberações, embora a repulsa me faça estremecer. Bem, de qualquer modo o senhor será sem dúvida convidado para a reunião; se se comportar hoje de acordo com o meu plano, o convite se tornará um pedido premente. Mas se por algum motivo incompreensível o senhor não for convidado, então precisa exigir de qualquer maneira o convite; não há dúvida de que nesse caso irá recebê-lo. Amanhã, portanto, estará sentado com as damas no camarote do comandante. Com frequentes olhares para cima ele se assegura de que o senhor está lá. Depois de diversos temas de discussão sem importância, ridículos — na maioria das vezes são construções portuárias, sempre as construções portuárias! —, chega a vez do procedimento judicial. Se por iniciativa do comandante isso não acontecer, ou não acontecer logo, então eu me encarrego de fazer com que aconteça. Levanto-me e faço o anúncio da execução de hoje. Muito breve, apenas o anúncio. Na verdade não é uma coisa usual lá, mas assim mesmo eu o faço. O comandante me agradece, como sempre com um sorriso amigável, e aí, sem poder se conter, ele aproveita a oportunidade. "Acaba de ser feito o anúncio da execução" — dirá isso ou algo semelhante. "Gostaria apenas de acrescentar ao anúncio que precisamente a essa execução esteve presente o grande pesquisador cuja visita tão honrosa à nossa colônia é do conhecimento de todos. Nossa reunião de hoje também tem sua importância realçada por essa presença. Não vamos, pois, dirigir a esse grande pesquisador a pergunta sobre como julga a execução segundo o costume antigo e o procedimento que a antecede?" Naturalmente aplausos de todos os lados, assentimento geral, eu sou o mais ruidoso. O comandante se inclina à sua frente e diz: "Neste caso eu coloco a pergunta em nome de todos". E então o senhor vai até o parapeito. Coloque as mãos num lugar visível para todos, senão as damas as agarram e brincam com os seus dedos. Ouve-se agora por fim a sua própria palavra. Não sei como vou suportar a tensão das horas até esse instante. No seu discurso o senhor não precisa se impor nenhuma barreira, faça alarde da verdade, vergue o corpo sobre o parapeito, berre, berre sim, berre ao comandante a sua opinião, a sua inabalável opinião. Mas talvez o senhor não queira isso, não condiz com o seu caráter, talvez no seu país as pessoas se comportem de outra maneira nessas situações; também isso está certo, também isso basta, nem ao menos se levante, diga apenas algumas palavras, sussurre-as de modo que só os funcionários embaixo do senhor as ouçam, não precisa absolutamente falar da escassa participação pública na execução, da engrenagem que range, da correia rebentada, do feltro repugnante, não, eu assumo pessoalmente todo o resto, e acredite: se o meu discurso não fizer o comandante sair da sala, ele vai obrigá-lo a se pôr de joelhos até confessar: antigo comandante, eu me dobro diante de você. É este o meu plano; o senhor quer me ajudar a executá-lo? Mas é claro que quer, mais que isso, o senhor precisa me ajudar.

E o oficial segurou pelos dois braços o explorador, olhando-o no rosto com a respiração ofegante. As últimas frases ele as tinha gritado tanto que até o soldado e o condenado ficaram prestando atenção; embora não pudessem entender nada, pararam de comer e, mastigando, ergueram o olhar na direção do explorador.

Para o explorador estava desde o início fora de dúvida a resposta que precisava dar; na sua vida havia experimentado muitas coisas para que pudesse vacilar aqui; era um homem basicamente honrado e não tinha medo. Apesar disso hesitou um instante à vista do homem e do soldado. Mas finalmente disse o que tinha de dizer:

— Não.

O oficial piscou várias vezes, mas não desviou o olhar dele.

— O senhor quer uma explicação? — perguntou o explorador.

O oficial assentiu em silêncio.

— Sou contra este procedimento — disse então o explorador. — Antes mesmo que o senhor tivesse falado comigo em confiança — naturalmente não vou em circunstância alguma abusar dessa confiança — eu já havia refletido se estaria no direito de intervir contra este procedimento e se a minha intervenção poderia ter a menor perspectiva de êxito. Estava claro para mim, nesse caso, a quem eu teria de me dirigir em primeiro lugar: ao comandante, evidentemente. O senhor tornou isso mais claro ainda, mas sem ter porventura consolidado a minha decisão; pelo contrário: sua honesta convicção me toca, embora ela também não possa me confundir.

O oficial permaneceu mudo; voltou-se para a máquina, segurou uma das barras de latão e depois, um pouco inclinado para trás, ergueu os olhos para o desenhador, como que verificando se estava tudo em ordem. O soldado e o condenado pareciam ter feito amizade um com o outro; por mais difícil que isso fosse, em virtude das fortes cadeias, o condenado fazia sinais ao soldado; o soldado se inclinava para ele; o condenado sussurrava-lhe alguma coisa e o soldado concordava com a cabeça.

O explorador foi atrás do oficial e disse:

— O senhor ainda não sabe o que eu quero fazer. Vou de fato comunicar ao comandante o meu ponto de vista sobre o procedimento, mas não em uma reunião, e sim a sós; também não devo ficar aqui tanto tempo para assistir a alguma reunião; amanhã cedo eu já parto ou pelo menos embarco num navio.

Não parecia que o oficial tivesse ouvido.

— Então o procedimento não o convenceu — disse para si mesmo e sorriu como um velho sorri da insensatez de uma criança e conserva atrás do sorriso seu verdadeiro pensamento.

— Portanto chegou a hora — disse por fim e de repente dirigiu ao explorador um olhar iluminado que continha alguma exortação, algum incitamento no sentido de participar.

— Hora do quê? — perguntou inquieto o explorador, mas sem receber resposta.

— Você está livre — disse o oficial ao condenado na sua língua.

Este a princípio não acreditou.

— Livre, você está livre — disse o oficial.

Pela primeira vez o rosto do condenado adquiriu realmente vida. Era verdade? Era apenas um capricho passageiro do oficial? O explorador estrangeiro tinha obtido dele clemência? O que estava acontecendo? Assim parecia perguntar o seu rosto. Mas não por muito tempo. Fosse o que fosse, ele queria, se tinha permissão para tanto, estar realmente livre, e por isso começou a se sacudir, na medida em que o rastelo o admitia.

— Você me rebenta as correias — gritou o oficial. — Fique quieto. Nós já vamos desatá-las.

E se pôs a trabalhar com o soldado, a quem fizera um sinal. O condenado ria sozinho, mansamente, sem dizer uma palavra, voltando o rosto ora à esquerda, para o oficial, ora à direita, para o soldado; também não esqueceu o explorador.

— Puxe-o para fora — ordenou o oficial ao soldado.

Aqui foi preciso ter algum cuidado em vista do rastelo. O condenado já tinha alguns pequenos rasgos nas costas por causa da sua impaciência.

Mas a partir daí o oficial não se preocupou mais com ele. Caminhou até o explorador, tirou do bolso outra vez a pequena carteira de couro, folheou-a, encontrou por fim a folha que estava procurando e mostrou-a.

— Leia — disse.

— Não consigo — disse o explorador. — Já falei que não consigo ler essas folhas.

— Olhe com atenção — disse o oficial e se pôs ao lado do explorador para ler com ele.

Mas quando isso também não deu resultado, o oficial seguiu as linhas com o dedo mínimo, a uma altura bem distante do papel, como se não pudesse de forma alguma tocar a folha, para desse modo facilitar a leitura ao explorador. Este fez um esforço para pelo menos nisto ser agradável ao oficial, mas não lhe foi possível. O oficial começou então a soletrar a inscrição e depois a leu no conjunto.

— *Seja justo*, é o que consta aqui. Agora o senhor certamente consegue ler.

O explorador se inclinava tanto sobre o papel que o oficial o colocou mais a distância com medo do contato; o explorador na verdade não disse mais nada, mas era evidente que continuava não conseguindo ler.

— *Seja justo*, é o que consta aqui — disse outra vez o oficial.

— Pode ser — disse o explorador. — Acredito que sim.

— Muito bem — disse o oficial, pelo menos em parte satisfeito, e subiu na escada com a folha.

Depositou-a com muito cuidado no desenhador e pareceu modificar completamente a disposição das engrenagens; era um trabalho muito minucioso, devia se tratar de engrenagens bem pequenas, às vezes a cabeça do oficial desaparecia inteiramente no desenhador, tanta era a exatidão com que precisava examinar o mecanismo.

Embaixo o explorador acompanhava sem interrupção esse trabalho, seu pescoço endurecia e os olhos lhe doíam por causa do céu devassado de sol. O soldado e o condenado só se ocupavam um do outro. A camisa e as calças do condenado, que jaziam no fosso, foram pescadas pelo soldado com a ponta da baioneta. A camisa estava pavorosamente suja e o condenado a lavou no balde de água. Quando depois vestiu a camisa e a calça, o soldado e o condenado tiveram de rir alto, pois as peças de vestuário estavam cortadas pelo meio na parte de baixo. Talvez o condenado se julgasse na obrigação de divertir o soldado; com a roupa rasgada girava em círculo diante do soldado, que agachado no chão ria batendo nos joelhos. Os dois entretanto ainda se continham por consideração com a presença dos senhores.

Quando o oficial finalmente terminou o trabalho lá em cima, abarcou mais uma vez com o olhar sorridente todas as partes do conjunto, fechou desta feita a tampa do desenhador, que até aí tinha ficado aberta, desceu a escada, olhou para o fosso e em seguida para o condenado, percebeu com satisfação que este havia retirado de lá as suas roupas, caminhou então até o balde de água para lavar as mãos, reconheceu tarde demais a sujeira horrorosa, ficou triste por agora não poder lavar as mãos, finalmente as mergulhou na areia — essa alternativa não o satisfazia, mas tinha de se sujeitar a ela —, depois ficou em pé e começou a desabotoar a túnica do seu uniforme. Ao fazer isso caíram-lhe às mãos, logo em primeiro lugar, os dois lenços que tinha enfiado atrás da gola.

— Aqui estão os seus lenços — disse, atirando-os na direção do condenado.

E para o explorador, como forma de explicação, afirmou:

— Presente das damas.

Apesar da pressa evidente com que tirou a túnica e depois se despiu por completo, tratou com muito cuidado cada peça do uniforme, chegando mesmo a correr os dedos sobre o cordão de prata da túnica, sacudindo uma borla até endireitá-la. De qualquer forma condizia pouco com esse esmero o fato de que, assim que acabava de cuidar de uma peça, ele a atirasse imediatamente no fosso com um empurrão irritado. A última coisa que lhe restava era o espadim com o cinturão. Tirou o espadim da bainha, quebrou-o, depois juntou tudo, os pedaços do espadim, a bainha e o cinturão, e os lançou fora com tanta violência que eles ressoaram uns contra os outros no fundo do fosso.

Agora estava ali, nu. O explorador mordeu os lábios e não disse nada. Sabia na verdade o que ia acontecer, mas não tinha o direito de impedir o oficial em nada. Se o procedimento judicial de que o oficial era adepto estava de fato tão próximo da supressão — possivelmente em consequência da intervenção do explorador, com a qual este por seu lado se sentia comprometido —, então o oficial estava agora agindo de um modo inteiramente correto; se estivesse no seu lugar não teria se conduzido de outra maneira.

O soldado e o condenado a princípio não entenderam nada, no começo nem mesmo ficaram olhando. O condenado estava contente por ter recebido de volta os lenços, mas não pôde se alegrar com eles por muito tempo, pois o soldado os arrebatou com um golpe de mão rápido e imprevisto. Tentava agora reavê-los do soldado, que os havia guardado por trás do cinturão, mas o soldado estava atento. Desse modo disputavam, meio brincando. Só quando o oficial ficou completamente nu eles prestaram atenção. Principalmente o condenado parecia assaltado pelo pressentimento de uma grande reviravolta. O que tinha acontecido com ele agora acontecia com o oficial. Talvez isso chegasse às últimas consequências. Provavelmente o explorador estrangeiro tinha dado ordens nesse sentido. Era portanto uma vingança. Sem ter sofrido até o fim, seria vingado até o fim. Apareceu então no seu rosto um sorriso amplo e silencioso que não desapareceu mais.

O oficial porém havia se voltado para a máquina. Se antes já era manifesto que entendia bem do aparelho, agora chegava quase a causar espanto como sabia manipulá-lo e como ele lhe obedecia. Tinha apenas aproximado a mão do rastelo e este subiu e baixou várias vezes até alcançar a posição certa para o receber; bastou ele tocar a borda da cama para ela imediatamente começar a vibrar; o feltro veio ao encontro da sua boca, via-se que o oficial na verdade não queria aceitá-lo, mas a hesitação só durou um instante, ele se submeteu logo e o acolheu na boca. Estava tudo pronto, só as correias ainda pendiam dos lados, mas elas eram evidentemente desnecessárias, o oficial não precisava ser amarrado. Aí o condenado notou as correias soltas, na sua opinião a execução não seria completa se as correias não estivessem apertadas, fez um sinal exasperado para o soldado e os dois correram para atar o oficial. Este já tinha esticado um pé para empurrar a manivela que devia pôr o desenhador em movimento; viu então que os dois tinham chegado; por isso recuou o pé e se deixou amarrar. De qualquer modo agora não podia mais alcançar a manivela; nem o soldado nem o condenado iriam encontrá-la e o explorador estava decidido a não se mexer. Não foi necessário: mal tinham sido ajustadas as correias a máquina começou a trabalhar; a cama vibrava, as agulhas dançavam sobre a pele, o rastelo oscilava para cima e para baixo. O explorador já havia fixado o olhar durante algum tempo quando se lembrou de que uma engrenagem no desenhador deveria ranger; mas estava tudo silencioso, não se ouvia o mínimo zumbido.

Com esse trabalho silencioso a máquina literalmente se subtraiu à atenção. O explorador olhou para o soldado e o condenado. O condenado era o mais animado, tudo na máquina o interessava, ora ele se abaixava, ora espichava o corpo, o indicador continuamente esticado para mostrar alguma coisa ao soldado. Para o explorador isso era penoso. Estava decidido a ficar ali até o fim, mas não iria aturar por muito tempo a visão dos dois.

— Vão para casa — disse ele.

Talvez o soldado estivesse disposto a isso, mas o condenado recebeu a ordem como um castigo. De mãos juntas, implorou que o deixasse ali e quando o explorador, sacudindo a cabeça, não quis ceder, ele até se ajoelhou. O explorador viu que aqui as ordens não valiam nada e pensou em expulsar os dois à força. Mas nesse momento escutou um ruído no desenhador lá em cima. Ergueu os olhos. Será que aquela engrenagem ainda funcionava mal? Era no entanto outra coisa. A tampa do desenhador se levantou devagar e depois se abriu completamente. Os dentes de uma engrenagem ficaram à mostra e subiram, logo apareceu a engrenagem inteira, como se uma grande força pressionasse o desenhador, de tal modo que não sobrasse mais espaço para essa engrenagem; ela foi girando até a beira do desenhador, caiu, rolou um trecho em pé na areia e depois ficou deitada. Mas lá em cima já emergia outra, outras se seguiram, muitas, grandes, pequenas, mal discerníveis entre si, e com todas sucedeu a mesma coisa, sempre era possível pensar que agora o desenhador já estava de algum modo esvaziado, mas aí surgia um novo grupo, particularmente numeroso, emergia, desabava, rolava na areia e se deitava. Diante desse processo o condenado esqueceu por completo a ordem do explorador, as engrenagens literalmente o fascinavam, estava sempre querendo agarrar uma, ao mesmo tempo conclamava o soldado a ajudá-lo, mas retirava a mão com medo, pois logo aparecia outra engrenagem, que pelo menos enquanto começava a rodar o assustava.

O explorador, ao contrário, estava muito inquieto; obviamente a máquina estava se destroçando; seu andamento tranquilo era um engano; ele tinha o sentimento de que agora precisava se ocupar do oficial, já que este não podia mais cuidar de si mesmo. Mas enquanto a queda das engrenagens exigira toda a sua atenção, ele havia deixado de observar o resto da máquina; entretanto, depois que a última engrenagem tinha saído do desenhador, ele se inclinou sobre o rastelo e teve uma nova surpresa, ainda pior. O rastelo não estava escrevendo, só dava estocadas, e a cama não rolava o corpo, apenas o levantava vibrando de encontro às agulhas. O explorador queria intervir, se possível fazendo o conjunto parar, já não era mais uma tortura, como pretendia o oficial, e sim assassinato direto. Ele estendeu as mãos. Mas o rastelo já se erguia para o lado com o corpo espetado, como só fazia na décima segunda hora. O sangue fluía em centenas de fios (não misturado com água, pois desta vez os caninhos de água também falharam). E então deixou de funcionar a última coisa: o corpo não se soltava das agulhas longas, seu sangue escorria, mas ele pendia sobre o fosso sem cair. O rastelo queria voltar à posição antiga, mas como se percebesse por si mesmo que ainda não estava livre da sua carga, permanecia sobre o fosso.

— Ajudem aqui! — gritou o explorador para o soldado e o condenado, segurando ele próprio os pés do oficial.

Queria fazer pressão deste lado sobre os pés, do outro os dois homens deveriam pegar a cabeça do oficial e assim o corpo seria aos poucos retirado das agulhas. Mas os dois não conseguiam se decidir; o condenado literalmente virou as costas; o explorador teve de ir até eles e pressioná-los com violência para o lugar onde estava a cabeça do oficial. Nesse ato viu quase contra a vontade o rosto do cadáver. Estava como tinha sido em vida; não se descobria nele nenhum sinal da prometida redenção; o que todos os outros haviam encontrado na máquina, o oficial não encontrou; os lábios se comprimiam com força, os olhos abertos tinham uma expressão de vida, o olhar era calmo e convicto, pela testa passava atravessada a ponta do grande estilete de ferro.

Quando o explorador, seguido pelo soldado e pelo condenado, chegou às primeiras casas da colônia, o soldado apontou para uma delas e disse:

— Esta é a casa de chá.

Havia no térreo um espaço mais baixo, profundo, como se fosse uma cova, de paredes e teto impregnados de fumaça. Ele se abria em toda a sua extensão para a rua. Embora a casa de chá se distinguisse pouco das demais casas da colônia, que estavam muito deterioradas até onde começavam as construções do palácio do comando, ela causou no explorador a impressão de uma recordação histórica e ele sentiu a força dos velhos tempos. Aproximou-se mais e, à frente dos seus acompanhantes, passou pelo meio das mesas desocupadas que se achavam na rua diante da casa de chá, aspirando o ar frio e pesado que vinha do interior.

— O velho está enterrado aqui — disse o soldado. — O clero negou para ele um lugar no cemitério. Durante algum tempo não se sabia onde enterrá-lo, até que finalmente o enterraram aqui. Decerto o oficial não contou nada disso ao senhor, pois naturalmente era a coisa que mais o envergonhava. Tentou até desenterrar algumas vezes o velho à noite, mas foi sempre repelido.

— Onde está o túmulo? — perguntou o explorador, que não podia acreditar no soldado.

Imediatamente tanto o soldado como o condenado passaram à frente do explorador, apontando com as mãos estendidas para o lugar onde devia estar o túmulo. Levaram-no até a parede dos fundos, onde estavam sentados alguns fregueses. Eram provavelmente estivadores, homens fortes de barbas cheias, negras e luzidias. Estavam todos sem casaco, as camisas esfarrapadas, gente pobre e humilde. Quando o explorador se aproximou, alguns se levantaram, ficaram de encontro à parede e olharam para ele.

— É um estrangeiro — sussurrou-se em volta do explorador. — Ele quer visitar o túmulo.

Empurraram uma das mesas, sob a qual se encontrava de fato uma lápide. Era uma pedra simples, suficientemente baixa para poder ficar escondida debaixo de uma mesa. Tinha uma inscrição com letras muito miúdas. Para poder lê-las o explorador precisou se ajoelhar. Dizia o seguinte: "Aqui jaz o antigo comandante. Seus adeptos, que agora não podem dizer o nome, cavaram-lhe o túmulo e assentaram a lápide. Existe uma profecia segundo a qual o comandante, depois de determinado número de anos, ressuscitará e chefiará seus adeptos para a reconquista da colônia. Acreditai e esperai!".

Quando o explorador terminou de ler e se levantou, viu em torno os homens sentados e sorrindo, como se tivessem lido com ele a inscrição, achando que ela era ridícula e o convidassem a ser da mesma opinião. O explorador agiu como se não o notasse, distribuiu entre eles algumas moedas, ainda esperou que a mesa fosse empurrada sobre o túmulo, deixou a casa de chá e se dirigiu ao porto.

O soldado e o condenado tinham encontrado na casa de chá alguns conhecidos que os retiveram. Mas devem ter se livrado logo deles, pois o explorador ainda estava no meio da longa escada que dava para os barcos quando os dois vieram correndo atrás. Provavelmente queriam forçar no último instante o explorador a levá-los consigo. Enquanto o explorador negociava com um barqueiro a travessia até o navio a vapor, os dois desceram a escada a toda pressa, sem dizer nada, pois não ousavam gritar. Mas quando chegaram embaixo, o explorador já estava no barco e o barqueiro acabava de soltá-lo da margem. Ainda teriam podido saltar dentro da embarcação, mas o explorador ergueu do fundo do barco uma pesada amarra, ameaçou-os com ela e desse modo impediu que eles saltassem.

Diante da lei

A parábola "Diante da lei", de 1915, é o centro nervoso do romance *O processo* e da ficção de Franz Kafka, vincada por numerosos paradoxos. Via de regra, a parábola é uma narrativa que contém um tipo de argumentação que termina numa *moral da história*; em Kafka essa moral é suprimida ou encapsulada.

O texto aparece no capítulo 9 do romance de que foi extraído pelo autor para ser publicado isoladamente no livro de contos *Um médico rural*, de 1919. Kafka declarou-se satisfeito com a "lenda do porteiro" como denominou originalmente o texto. Foi certamente esse o motivo pelo qual ele a publicou duas vezes em vida.

No romance *O processo* o argumento é narrado a partir da "história do porteiro" (como aliás no filme homônimo de Orson Welles). Kafka, mais tarde, retirou a parábola do contexto do capítulo "Na catedral" e deu-lhe o título "Diante da lei". O escritor leu a narrativa várias vezes aos amigos e a Felice Bauer e, em 1917, a introduziu no romance publicado na Alemanha em 1919.

A parábola também foi dada a público separadamente na famosa coleção expressionista *O juízo final*, mas continua a figurar no capítulo 9 de *O processo*, no qual o personagem Josef K. é julgado numa catedral gótica e no dia seguinte, ao completar 31 anos, é executado, exatamente um ano após ter sido detido em casa não se sabe por quê, por quem ou qual delito tenha cometido.

Diante da lei está um porteiro. Um homem do campo chega a esse porteiro e pede para entrar na lei. Mas o porteiro diz que agora não pode permitir-lhe a entrada. O homem do campo reflete e depois pergunta se então não pode entrar mais tarde.

— É possível — diz o porteiro. — Mas agora não.

Uma vez que a porta da lei continua como sempre aberta e o porteiro se põe de lado o homem se inclina para olhar o interior através da porta. Quando nota isso o porteiro ri e diz:

— Se o atrai tanto, tente entrar apesar da minha proibição. Mas veja bem: eu sou poderoso. E sou apenas o último dos porteiros. De sala para sala porém existem porteiros cada um mais poderoso que o outro. Nem mesmo eu posso suportar a simples visão do terceiro.

O homem do campo não esperava tais dificuldades: a lei deve ser acessível a todos e a qualquer hora, pensa ele; agora, no entanto, ao examinar mais de perto o porteiro, com o seu casaco de pele, o grande nariz pontudo, a longa barba tártara, rala e preta, ele decide que é melhor aguardar até receber a permissão de entrada. O porteiro lhe dá um banquinho e deixa-o sentar-se ao lado da porta. Ali fica sentado dias e anos. Ele faz muitas tentativas para ser admitido e cansa o porteiro com os seus pedidos. Às vezes o porteiro submete o homem a pequenos interrogatórios, pergunta-lhe a respeito da sua terra natal e de muitas outras coisas, mas são perguntas indiferentes, como as que os grandes senhores fazem, e para concluir repete-lhe sempre que ainda não pode deixá-lo entrar. O homem, que havia se equipado com muitas coisas para a viagem, emprega tudo, por mais valioso que seja, para subornar o porteiro. Com efeito, este aceita tudo, mas sempre dizendo:

— Eu só aceito para você não julgar que deixou de fazer alguma coisa.

Durante todos esses anos o homem observa o porteiro quase sem interrupção. Esquece os outros porteiros e este primeiro parece-lhe o único obstáculo para a entrada na lei. Nos primeiros anos amaldiçoa em voz alta e desconsiderada o acaso infeliz; mais tarde, quando envelhece, apenas resmunga consigo mesmo. Torna-se infantil e uma vez que, por estudar o porteiro anos a fio, ficou conhecendo até as pulgas da sua gola de pele, pede a estas que o ajudem a fazê-lo mudar de opinião. Finalmente sua vista enfraquece e ele não sabe se de fato está ficando mais escuro em torno ou se apenas os olhos o enganam. Não obstante reconhece agora no escuro um brilho que irrompe inextinguível da porta da lei. Mas já não tem mais muito tempo de vida. Antes de morrer, todas as experiências daquele tempo convergem na sua cabeça para uma pergunta que até então não havia feito ao porteiro. Faz-lhe um aceno para que se aproxime, pois não pode mais endireitar o corpo enrijecido. O porteiro precisa curvar-se profundamente até ele, já que a diferença de altura mudou muito em detrimento do homem:

— O que é que você ainda quer saber? — pergunta o porteiro. — Você é insaciável.

— Todos aspiram à lei — diz o homem. — Como se explica que em tantos anos ninguém além de mim pediu para entrar?

O porteiro percebe que o homem já está no fim e para ainda alcançar sua audição em declínio ele berra:

— Aqui ninguém mais podia ser admitido, pois esta entrada estava destinada só a você. Agora eu vou embora e fecho-a.

— Aqui ninguém mais pode ser admitido, pois esta entrada estava destinada só a você. Agora eu vou embora e fecho-a.

Um relatório para uma academia

Neste relato (ou relatório), um macaco falante e talentoso informa os membros cultivados de uma academia sobre sua transição de *animal* para a existência humana numa linguagem fina e engomada. Não se trata, porém, de uma parábola, mas de uma história *tout-court* com lances de veracidade e humor. Rotpeter (ou Peter, o Vermelho) leva apenas cinco anos para se transformar de símio em homem (variação irônica da teoria de Darwin?). A passagem de um nível zoológico para outro acontece por uma imitação persistente do comportamento humano. Capturado na selva da Costa do Ouro, sofre um ferimento na bochecha, cuja cicatriz fica vermelha; daí seu apelido Peter, o Vermelho. Sua habilidade para imitar os humanos torna-o o astro de um circo de variedades e a qualidade do seu poder mimético é o recurso que lhe permite escapar do confinamento de uma jaula.

A novela é um dos pontos altos do livro de narrativas *Um médico rural*, de 1919.

Eminentes senhores da Academia:

Conferem-me a honra de me convidar a oferecer à Academia um relatório sobre a minha pregressa vida de macaco.

Não posso infelizmente corresponder ao convite nesse sentido. Quase cinco anos me separam da condição de símio; espaço de tempo que medido pelo calendário talvez seja breve, mas que é infindavelmente longo para atravessar a galope como eu o fiz, acompanhado em alguns trechos por pessoas excelentes, conselhos, aplauso e música orquestral, mas no fundo sozinho, pois, para insistir na imagem, todo acompanhamento se mantinha bem recuado diante da barreira. Essa realização teria sido impossível se eu tivesse querido me apegar com teimosia à minha origem e às lembranças de juventude. Justamente a renúncia a qualquer obstinação era o supremo mandamento que eu me havia imposto; eu, macaco livre, me submeti a esse jugo. Com isso porém as recordações, por seu turno, se fecharam cada vez mais para mim. O retorno, caso os homens o tivessem desejado, estava de início liberado através do portal inteiro que o céu forma sobre a terra, mas ele foi se tornando simultaneamente mais baixo e mais estreito com a minha evolução, empurrada para a frente a chicote; sentia-me melhor e mais incluído no mundo dos homens; a tormenta cujo sopro me carregava do passado amainou; hoje é apenas uma corrente de ar que me esfria os calcanhares; e o buraco na distância, através do qual ela vem e através do qual eu outrora vim, ficou tão pequeno que eu me esfolaria no ato de atravessá-lo, mesmo que as forças e a vontade bastassem para que retrocedesse até lá. Falando francamente — por mais que eu goste de escolher imagens para estas coisas —, falando francamente, sua origem de macaco, meus senhores, até onde tenham atrás de si algo dessa natureza, não pode estar tão distante dos senhores como a minha está distante de mim. Mas ela faz cócegas no calcanhar de qualquer um que caminhe sobre a terra — do pequeno chimpanzé ao grande Aquiles.

No sentido mais restrito, entretanto, posso talvez responder à indagação dos senhores e o faço até com grande alegria. A primeira coisa que aprendi foi dar um aperto de mão; o aperto de mão é testemunho de franqueza; possa eu hoje, quando estou no auge da minha carreira, acrescentar àquele primeiro aperto de mão a palavra franca. Não ensinará nada essencialmente novo à Academia e ficará muito aquém do que se exigiu de mim e daquilo que, mesmo com a maior boa vontade, eu não posso dizer — ainda assim deve mostrar a linha de orientação pela qual um ex-macaco entrou no mundo dos homens e aí se estabeleceu. Mas sem dúvida não poderia dizer nem a insignificância que se segue, se não estivesse plenamente seguro de mim e se o meu lugar em todos os grandes teatros de variedades do mundo civilizado não tivesse se firmado a ponto de se tornar inabalável.

Sou natural da Costa do Ouro. Sobre como fui capturado, tenho de me valer de relatos de terceiros. Uma expedição de caça da firma Hagenbeck — aliás, com o chefe dela esvaziei desde então algumas boas garrafas de vinho tinto — estava de tocaia nos arbustos da margem, quando ao anoitecer, eu, no meio de um bando, fui beber água. Atiraram; fui o único atingido; levei dois tiros. Um na maçã do rosto: esse foi leve, mas deixou uma cicatriz vermelha de pelos raspados, que me valeu o apelido repelente de Pedro Vermelho, absolutamente descabido e que só podia ter sido inventado por um macaco, como se eu me diferenciasse do macaco amestrado Pedro — morto não faz muito tempo e conhecido em um ou outro lugar — somente pela mancha vermelha na maçã da cara. Mas digo isso apenas de passagem.

O segundo tiro me acertou embaixo da anca. Foi grave e a ele se deve o fato de ainda hoje eu mancar um pouco. Li recentemente, num artigo de algum dos dez mil cabeças de vento que se manifestam sobre mim nos jornais, que minha natureza de símio ainda não está totalmente reprimida; a prova disso é que, quando chegam visitas, eu tenho predileção em despir as calças para mostrar o lugar onde aquele tiro entrou. Deviam arrancar um a um os dedinhos da mão do sujeito que escreveu isso. Eu — eu posso despir as calças a quem me apraz; não se encontrará lá nada senão uma pelúcia bem tratada e a cicatriz de um — escolhamos aqui, para um objetivo definido, uma palavra definida, mas que não deve ser mal entendida — a cicatriz de um tiro delinquente. Está tudo exposto à luz do dia, não há nada a esconder; quando se trata da verdade, qualquer um de espírito largo joga fora as mais finas maneiras. Se, ao contrário, aquele escrevinhador despisse as calças diante da visita que chega, isso sem dúvida teria um outro aspecto e quero considerar como sinal de juízo se ele não o fizer. Mas então que me deixe em paz com os seus sentimentos delicados!

Depois daqueles tiros eu acordei — e aqui, aos poucos, começa a minha própria lembrança — numa jaula na coberta do navio a vapor da firma Hagenbeck. Não era uma jaula gradeada de quatro lados; eram apenas três paredes pregadas num caixote, que formava portanto a quarta parede. O conjunto era baixo demais para que eu me levantasse e estreito demais para que eu me sentasse. Por isso fiquei agachado, com os joelhos dobrados que tremiam sem parar, na verdade voltado para o caixote, uma vez que a princípio eu provavelmente não queria ver ninguém e desejava estar sempre no escuro, enquanto por trás as grades da jaula me penetravam na carne. Consideram vantajoso esse tipo de confinamento de animais selvagens nos primeiros tempos e hoje, pela minha experiência, não posso negar que seja assim do ponto de vista humano.

Mas então eu não pensava isso. Pela primeira vez na vida estava sem saída; ao menos em linha reta ela não existia; em linha reta diante de mim estava o caixote, cada tábua firmemente ajustada à outra. É verdade que por entre as tábuas havia uma fresta que ia de lado a lado e, quando a descobri, saudei-a com o uivo bem-aventurado do animal irracional, mas nem de longe essa fresta bastava para deixar o rabo passar e mesmo com toda a força de um macaco ela não podia ser alargada.

Conforme me disseram mais tarde, devo ter feito muito pouco barulho, donde se concluiu que ou iria perecer logo ou que, caso conseguisse sobreviver aos primeiros tempos críticos, ficaria bastante apto a me amestrar. Sobrevivi a esses tempos. Surdos soluços, dolorosa caça às pulgas, fatigado lamber de um coco, batidas de crânio na parede do caixote e mostrar a língua quando alguém se aproximava — foram essas as primeiras ocupações da minha nova vida. Em tudo porém apenas um sentimento: nenhuma saída. Naturalmente só posso retraçar com palavras humanas o que então era sentido à maneira de macaco e em consequência disso cometo distorções; mas embora não possa mais alcançar a velha verdade do símio, pelo menos no sentido da minha descrição ela existe — quanto a isso não há dúvida.

Até então eu tivera tantas vias de saída e agora nenhuma! Estava encalhado. Tivessem me pregado, minha liberdade não teria ficado menor. Por que isso? Escalavre a carne entre os dedos do pé que não vai achar o motivo. Comprima as costas contra a barra da jaula até que ela o parta em dois que não vai achar o motivo. Eu não tinha saída, mas precisava arranjar uma, pois sem ela não podia viver. Caso permanecesse sempre colado à parede daquele caixote teria esticado as canelas sem remissão. Mas na firma Hagenbeck o lugar dos macacos é de encontro à parede do caixote — pois bem, por isso deixei de ser macaco. Um raciocínio claro e belo que de algum modo eu devo ter chocado com a barriga, pois os macacos pensam com a barriga.

Tenho medo de que não compreendam direito o que entendo por saída. Emprego a palavra no seu sentido mais comum e pleno. É intencionalmente que não digo liberdade. Não me refiro a esse grande sentimento de liberdade por todos os lados. Como macaco talvez eu o conhecesse e travei conhecimento com pessoas que têm essa aspiração. Mas no que me diz respeito, eu não exigia liberdade nem naquela época nem hoje. Dito de passagem: é muito frequente que os homens se ludibriem entre si com a liberdade. E assim como a liberdade figura entre os sentimentos mais sublimes, também o ludíbrio correspondente figura entre os mais elevados. Muitas vezes vi nos teatros de variedades, antes da minha entrada em cena, um ou outro par de artistas às voltas com os trapézios lá do alto junto ao teto. Eles se arrojavam, balançavam, saltavam, voavam um para os braços do outro, um carregava o outro pelos cabelos presos nos dentes. "Isso também é liberdade humana", eu pensava, "movimento soberano." Ó derrisão da sagrada natureza! Nenhuma construção ficaria em pé diante da gargalhada dos macacos à vista disso.

Não, liberdade eu não queria. Apenas uma saída; à direita, à esquerda, para onde quer que fosse; eu não fazia outras exigências; a saída podia também ser apenas um engano; a exigência era pequena, o engano não seria maior. Ir em frente, ir em frente! Só não ficar parado com os braços levantados, comprimido contra a parede de um caixote.

Hoje vejo claro: sem a máxima tranquilidade interior eu nunca poderia ter escapado. E de fato talvez deva tudo o que me tornei à tranquilidade que me sobreveio depois dos primeiros dias lá no navio. Mas a tranquilidade, por sua vez, eu a devo sem dúvida às pessoas do navio.

São homens bons, apesar de tudo. Ainda hoje gosto de me lembrar do som dos seus passos pesados que então ressoavam na minha sonolência. Tinham o hábito de agarrar tudo com extrema lentidão. Se algum queria coçar os olhos, erguia a mão como se ela fosse um prumo de chumbo. Suas brincadeiras eram grosseiras mas calorosas. Seu riso estava sempre misturado a uma tosse que soava perigosa mas não significava nada. Tinham sempre na boca alguma coisa para cuspir e para eles era indiferente onde cuspiam. Queixavam-se sempre de que minhas pulgas pulavam em cima deles, mas nunca ficaram seriamente zangados comigo por isso; sabiam muito bem que nos meus pelos as pulgas prosperam e que as pulgas são saltadoras; conformavam-se com isso. Quando estavam de folga, alguns sentavam-se em semicírculo à minha volta; quase não falavam, mas arrulhavam uns para os outros; fumavam os cachimbos esticados sobre os caixotes; davam tapas nos joelhos assim que eu fazia o menor movimento e de vez em quando um deles pegava um pau e me fazia cócegas onde me era agradável. Se hoje eu fosse convidado a fazer uma viagem nesse navio certamente recusaria o convite, mas é igualmente certo que lá na coberta da embarcação eu não me entregaria apenas a más recordações.

A tranquilidade que conquistei no círculo dessas pessoas foi o que acima de tudo me impediu de qualquer tentativa de fuga. Da perspectiva de hoje me parece que eu teria no mínimo pressentido que precisava achar uma saída caso quisesse viver, mas que essa saída não devia ser alcançada pela fuga. Não sei mais se a fuga era possível, porém acredito nisso; a um macaco a fuga deveria ser sempre possível. Com os dentes que tenho hoje preciso ser cauteloso até no ato habitual de quebrar nozes, mas naquela época decerto eu teria conseguido, com o correr do tempo, partir nos dentes a fechadura. Não o fiz. O que teria sido ganho com isso? Teriam me prendido de novo, mal a cabeça estivesse de fora, e trancafiado numa jaula pior ainda; ou então poderia ter fugido sem ser notado até o lado oposto, onde estavam os outros animais, quem sabe até às cobras gigantescas, e exalado o último suspiro nos seus abraços; ou então conseguido escapar para o convés e saltado pela amurada: aí teria balançado um pouquinho sobre o oceano e me afogado. Atos de desespero. Não fazia cálculos tão humanos, mas sob a influência do ambiente comportei-me como se os tivesse feito.

Não fazia cálculos, mas sem dúvida observava com toda a calma. Via aqueles homens andando de cima para baixo, sempre os mesmos rostos, os mesmos movimentos, muitas vezes me parecendo que eram apenas um. Aquele homem ou homens andavam pois sem impedimentos. Um alto objetivo começou a clarear na minha mente. Ninguém me prometeu que se eu me tornasse como eles a grade seria levantada. Não se fazem promessas como essa para realizações aparentemente impossíveis. Mas se as realizações são cumpridas, também as promessas aparecem em seguida, exatamente no ponto em que tinham sido inutilmente buscadas. Ora, naqueles homens não havia nada em si mesmo que me atraísse. Se eu fosse um adepto da já referida liberdade, teria com certeza preferido o oceano a essa saída que se me mostrava no turvo olhar daqueles homens. Seja como for, porém, eu os observava desde muito tempo antes que viesse a cogitar nessas coisas — sim, foram as observações acumuladas as que primeiro me impeliram numa direção definida.

Era tão fácil imitar as pessoas! Nos primeiros dias eu já sabia cuspir. Cuspimos então um na cara do outro; a única diferença era que depois eu lambia a minha e eles não lambiam a sua. O cachimbo eu logo fumei como um velho; se depois eu ainda comprimia o polegar no fornilho, a coberta inteira do navio se rejubilava; só não entendi durante muito tempo a diferença entre o cachimbo vazio e o cachimbo cheio.

O que me custou mais esforço foi a garrafa de aguardente. O cheiro me atormentava; eu me forçava com todas as energias, mas passaram-se semanas antes que eu me dominasse. Curiosamente as pessoas levaram essas lutas interiores mais a sério do que qualquer outra coisa em mim. Não distingo as pessoas nem na minha lembrança, mas havia um que sempre voltava, sozinho ou com os camaradas, de dia, de noite, nas horas mais diferentes; colocava-se diante de mim com a garrafa e me dava aula. Ele não me compreendia, queria solucionar o enigma do meu ser. Desarrolhava devagar a garrafa e em seguida me fitava para verificar se eu havia entendido; concedo que sempre olhei para ele com uma atenção selvagem e atropelada; nenhum mestre de homem encontra em toda a volta da Terra um aprendiz de homem assim; depois que a garrafa estava desarrolhada, ele a erguia até a boca; eu a sigo com o olhar até a garganta; ele acena com a cabeça, satisfeito comigo, e coloca a garrafa nos lábios; encantado com o conhecimento gradativo, eu me coço aos guinchos de alto a baixo e de lado a lado, onde cabe coçar; ele se alegra, leva a garrafa à boca e bebe um trago; impaciente e desesperado para imitá-lo eu me sujo na jaula, o que por seu turno lhe causa grande satisfação; distanciando então a garrafa e num arremesso alçando-a outra vez, ele a esvazia de um só trago, inclinado para trás numa atitude de exagero didático. Exausto com tamanha exigência não posso mais acompanhá-lo e fico pendurado frágil na grade enquanto ele encerra a aula teórica alisando a barriga e arreganhando os dentes num sorriso.

Só agora começo o exercício prático. Já não estava esgotado demais pela aula teórica? Certamente: esgotado demais. Faz parte do meu destino. Apesar disso estendo a mão o melhor que posso para pegar a garrafa que me é oferecida; desarrolho-a trêmulo; com esse sucesso se apresentam aos poucos novas forças; ergo a garrafa — quase não há diferença do modelo original; levo-a aos lábios e — com asco, com asco, embora ela esteja vazia e apenas o cheiro a encha, atiro-a com asco ao chão. Para tristeza do meu professor, para tristeza maior de mim mesmo; nem com ele nem comigo mesmo eu me reconcilio por não ter esquecido — após jogar fora a garrafa — de passar a mão com perfeição na minha barriga e de arreganhar os dentes num sorriso.

Com demasiada frequência a aula transcorria assim. E para honra do meu professor ele não ficava bravo comigo; é certo que às vezes ele segurava o cachimbo aceso junto à minha pele até começar a pegar fogo em algum ponto que eu não alcançava, mas ele mesmo o apagava depois com a sua mão boa e gigantesca; não estava bravo comigo, percebia que lutávamos do mesmo lado contra a natureza do macaco e que a parte mais pesada ficava comigo.

De qualquer modo, que vitória foi tanto para ele como para mim quando então uma noite, diante de um círculo grande de espectadores — talvez fosse uma festa, tocava uma vitrola, um oficial passeava entre as pessoas —, quando nessa noite, sem ser observado, eu agarrei uma garrafa de aguardente deixada por distração diante da minha jaula, desarrolhei-a segundo as regras, sob a atenção crescente das pessoas, levei-a aos lábios e sem hesitar, sem contrair a boca, como um bebedor de cátedra, com os olhos virados, a goela transbordando, eu a esvaziei de fato e de verdade; joguei fora a garrafa não mais como um desesperado, mas como um artista; na realidade esqueci de passar a mão na barriga, mas em compensação — porque não podia fazer outra coisa, porque era impelido para isso, porque os meus sentidos rodavam — eu bradei sem mais "Alô!", prorrompi num som humano, saltei com esse brado dentro da comunidade humana e senti, como um beijo em todo o meu corpo que pingava de suor, o eco — "Ouçam, ele fala!".

Repito: não me atraía imitar os homens; eu imitava porque procurava uma saída, por nenhum outro motivo. Com essa vitória também não se tinha feito muita coisa. A voz voltou a me falhar imediatamente; só apareceu meses depois; a aversão à garrafa veio ainda mais fortalecida. Mas fosse como fosse a direção a seguir havia sido dada de uma vez por todas.

Quando em Hamburgo fui entregue ao primeiro amestrador, reconheci logo as duas possibilidades que me estavam abertas: jardim zoológico ou teatro de variedades. Não hesitei. Disse a mim mesmo: empregue toda a energia para ir ao teatro de variedades; essa é a saída; o jardim zoológico é apenas uma nova jaula; se você for para ele, está perdido.

E eu aprendi, senhores. Ah, aprende-se o que é preciso que se aprenda; aprende-se quando se quer uma saída; aprende-se a qualquer custo. Fiscaliza-se a si mesmo com o chicote; à menor resistência flagela-se a própria carne. A natureza do macaco escapou de mim frenética, dando cambalhotas, de tal modo que com isso meu primeiro professor quase se tornou ele próprio um símio, teve de renunciar às aulas e precisou ser internado num sanatório. Felizmente saiu logo de lá.

Mas eu consumi muitos professores, alguns até ao mesmo tempo. Quando já havia me tornado mais seguro das minhas aptidões e o público acompanhava meus progressos, começou a luzir o meu futuro: contratei pessoalmente os professores, mandei-os sentar em cinco aposentos enfileirados e aprendi com todos eles, simultaneamente, à medida que saltava de modo ininterrupto de um aposento a outro.

Esses meus progressos! Essa penetração por todos os lados dos raios do saber no cérebro que despertava! Não nego: faziam-me feliz. Mas também admito: já então não os superestimava, muito menos hoje. Através de um esforço que até agora não se repetiu sobre a terra, cheguei à formação média de um europeu. Em si mesmo talvez isso não fosse nada, mas é alguma coisa, uma vez que me ajudou a sair da jaula e me propiciou essa saída especial, essa saída humana. Existe uma excelente expressão idiomática alemã: *sich in die Büsche schlagen*: foi o que fiz, caí fora. Eu não tinha outro caminho, sempre supondo que não era possível escolher a liberdade.

Se abranjo com o olhar minha evolução e sua meta até agora, nem me queixo nem me vejo satisfeito. As mãos nos bolsos das calças, a garrafa de vinho em cima da mesa, estou metade deitado, metade sentado na cadeira de balanço e olho pela janela. Se vem uma visita, eu a recebo como convém. Meu empresário está sentado na antessala; se toco a campainha ele vem e ouve o que tenho a dizer; à noite quase sempre há representação e tenho sucessos com certeza difíceis de superar. Se chego em casa tarde da noite, vindo de banquetes, sociedades científicas, reuniões agradáveis, está me esperando uma pequena chimpanzé semiamestrada e eu me permito passar bem com ela à maneira dos macacos. Durante o dia não quero vê-la; pois ela tem no olhar a loucura do perturbado animal amestrado; isso só eu reconheço e não consigo suportá-lo.

Seja como for, no conjunto eu alcanço o que queria alcançar. Não se diga que o esforço não valeu a pena. No mais não quero nenhum julgamento dos homens, quero apenas difundir conhecimentos; faço tão somente um relatório; também aos senhores, eminentes membros da Academia, só apresentei um relatório.

O cavaleiro do balde

"O cavaleiro do balde" foi escrito por Kafka no inverno de 1916. Nessa época, o escritor estava instalado numa minúscula casa da rua dos Alquimistas, em Praga, onde redigiu os textos de *Um médico rural*, só publicados em 1920 na Alemanha. No projeto original, "O cavaleiro do balde" devia figurar entre "As pequenas narrativas" do livro, em que aparecem os motivos do cavalo, do cavaleiro e da cavalgada. Mas por razões que não são muito claras (escassez de carvão em Praga?), o relato foi suprimido pouco antes da edição do volume. De qualquer forma, consta que Kafka teria excluído "O cavaleiro do balde" por achar que havia nele demasiada "cor local".

O manuscrito foi para a gaveta e só veio à luz cinco anos depois, quando o artista decidiu publicá-lo no suplemento de Natal do jornal *Prager Presse* em 25 de dezembro de 1921.

A escolha foi feliz, porque além do aspecto óbvio de um conto de fadas à maneira kafkiana pode ser lido como um autêntico conto de Natal. A marca de Charles Dickens é inegável: a paisagem urbana gelada, a pobreza do cavaleiro anônimo, as súplicas que ele lança, a avareza e a malícia da carvoeira, os sinos que tocam e a linguagem poética parecem rearticular, na clave inconfundível de Kafka, a atmosfera e o cenário da *Canção de Natal* do escritor inglês, então um dos seus preferidos.

Kafka constrói um mundo mágico-enigmático e o protagonista realiza a experiência da frustração e da ameaça, uma vez que sua chance de sobreviver depende dos interesses e da vontade do outro. Sendo assim, o cavaleiro da triste figura vê seu apelo frustrado pela mulher do carvoeiro (que transmite uma falsa informação ao marido) e por isso não consegue entrar em contato com a única pessoa capaz de ajudá-lo e a quem ele já havia reconhecido como um sol no firmamento. Assim é que, traído pelos ouvidos de um mercador e enxotado como um inseto por uma Scrooge de avental, o cavaleiro kafkiano transformado em *outsider* cósmico ascende à região das geleiras para se ombrear "solitário e secreto como uma ostra" aos autores mais conhecidos do drama universal kafkiano.

Consumido todo o carvão; vazio o balde; sem sentido a pá; a estufa bafejando frio; o quarto inteiro atravessado por sopros de gelo; diante da janela as árvores rijas de geada; o céu um escudo de prata contra quem deseja o seu auxílio. Preciso de carvão; certamente não posso morrer congelado; atrás de mim a estufa impiedosa, à minha frente o céu igualmente sem pena, tenho portanto de cavalgar nítido entre os dois e no meio buscar a ajuda do carvoeiro. Mas ele já está insensível aos meus pedidos costumeiros; é necessário provar-lhe com precisão absoluta que já não tenho uma só migalha de carvão e que sendo assim ele significa para mim o próprio sol no firmamento. Devo chegar como o mendigo que estrebuchando de fome quer morrer na soleira da porta e a quem, por esse motivo, a cozinheira dos patrões resolve dar para beber a borra do último café; do mesmo modo o carvoeiro, furioso, mas sob o raio de luz do mandamento "Não matarás!", tem de atirar no meu balde uma pá cheia de carvão.

Já minha subida deve decidir o caso, por isso vou a cavalo no balde. Como cavaleiro do balde, ao alto a mão na alça — a mais simples das rédeas —, volto-me com dificuldade e desço a escada; mas embaixo meu balde sobe, soberbo, soberbo: camelos agachados no solo não se levantam tão belos estremecendo sob o bastão do cameleiro. Pela rua dura de gelo avança-se em trote regular; muitas vezes sou alçado à altura dos primeiros andares, não mergulho nunca até o nível da porta do prédio. E diante da abóbada do depósito do carvoeiro pairo extremamente alto enquanto ele bem lá embaixo escreve acocorado junto à sua mesinha. Para deixar sair o calor excessivo ele abriu a porta.

— Carvoeiro! — brado com a voz cava e crestada pelo gelo, envolto nas nuvens de fumaça da respiração. — Por favor, carvoeiro, me dê um pouco de carvão. Meu balde já está tão vazio que posso cavalgar nele. Seja bom. Assim que puder eu pago.

O carvoeiro põe a mão no ouvido.

— Estou ouvindo bem? — ele pergunta por sobre os ombros para sua mulher, que está tricotando no banco da estufa. — Estou ouvindo direito? Um freguês.

— Não estou ouvindo absolutamente nada — diz a mulher, inspirando e expirando tranquila sobre as agulhas de tricô, as costas agradavelmente aquecidas.

— Oh, você ouve sim — eu brado —, sou eu, um velho freguês, fiel e dedicado, só que no momento sem recursos.

— Mulher — diz o carvoeiro —, é alguém, é alguém; tanto assim eu não posso me enganar; deve ser um freguês muito antigo que me fala desse modo ao coração.

— O que há com você, homem? — diz a mulher, e repousando um instante comprime o trabalho manual no peito. — Não é ninguém, a rua está vazia, toda a nossa freguesia está servida, podemos fechar a loja durante dias e descansar.

— Mas eu estou sentado aqui em cima no balde — exclamo e lágrimas sem sentimento velam-me os olhos. — Por favor, olhem para cima, vão logo me descobrir; estou pedindo uma pá de carvão e se me derem duas vão me fazer muito, muito feliz. Todo o resto da freguesia aliás já está servido. Ah, se eu já ouvisse o carvão batendo no balde!

— Vou indo — diz o carvoeiro e com as pernas curtas quer subir a escada do porão, mas a mulher já está ao seu lado, segura-o pelo braço e diz:

— Você fica aqui. Se não parar de ser teimoso, subo eu. Lembre-se da sua tosse forte esta noite. Mas por um negócio, mesmo que seja imaginário, você abandona mulher e filho e sacrifica os seus pulmões. Eu vou.

— Mas então conte todos os tipos que temos no estoque; os preços eu grito depois para você.

— Está bem — diz a mulher e sobe para a rua.

Naturalmente ela não me vê logo:

— Senhora carvoeira! — exclamo. — Respeitosa saudação: só uma pá de carvão, bem aqui no balde; eu mesmo o levo para casa; uma pá do pior carvão. Evidentemente pago tudo, mas não agora, não agora.

Como as duas palavras "não agora" parecem um som de sino e como elas se misturam perturbadoramente ao toque do anoitecer que se pode escutar da igreja vizinha!

— O que ele quer, então? — brada o carvoeiro.

— Nada — grita de volta a mulher. — Não é nada, não vejo nada, não ouço nada. O frio está medonho; amanhã provavelmente vamos ter ainda muito trabalho.

Ela não vê nem ouve nada, no entanto desamarra o cinto do avental e tenta me enxotar com ele. Infelizmente consegue. Meu balde tem todas as vantagens de um bom animal de corrida, mas não resistência; ele é leve demais; um avental de mulher tira-lhe as pernas do chão.

— Malvada! — brado ainda, enquanto ela, voltando-se para a loja, dá um tapa no ar, meio com desprezo, meio satisfeita. — Você é malvada! Pedi uma pá do pior carvão e você não me deu.

E com isso ascendo às regiões das montanhas geladas e me perco para nunca mais.

Um fratricídio

“Um fratricídio” é uma das histórias graficamente mais violentas e realistas de Kafka. Esse realismo descritivo é acentuado pelo fato de começar com uma oração introdutória que, em linguagem que evoca um documento legal ou um relato jornalístico objetivo, insiste no caráter factual dos eventos que vão ser narrados. Essa sentença objetiva, quase onisciente, situa o texto na proximidade de outras obras do mesmo período (1916-7), como *Na colônia penal* ou o poema em prosa “Na galeria”. São obras que exploram uma perspectiva mais distanciada da ação. Estilisticamente, “Um fratricídio” é um verdadeiro *tour de force*, articulando com a mesma bravura, paixão e obsessão pelo detalhe através dos quais o assassino, Schmar, pratica o crime de morte contra sua vítima, Wese. Não é oferecida nenhuma motivação para o ato de Schmar, embora o aspecto febril com que ele planeja e executa o assassinato, e sua referência à esposa da vítima, Júlia Wese, sugira que se trata de um crime passional.

O texto não indica que Schmar e Wese são irmãos de sangue (a não ser pelo título). Na verdade, o título “Um fratricídio” alude de maneira genérica à morte de Abel por Caim, seu irmão bíblico.

Um dos ingredientes mais curiosos da história de Kafka é a inclusão de um observador passivo, Pallas, que vê da janela do segundo andar o desenrolar dos acontecimentos sem no entanto intervir para evitar o crime. Kafka, neste lance, é extremamente bem sucedido ao transferir essa atitude paradoxal de uma participação recuada à perspectiva que o leitor assume diante do desenvolvimento do relato.

Além de representar uma variação do tema da alienação e da suspeita entre os seres humanos, codificada pelo mito religioso de Abel e Caim, a história tem outras camadas passíveis de interpretação. No contexto sócio-histórico da Europa em geral e de Praga em particular, no tempo em que o conto foi escrito, o entrecho alude aos morticínios da Primeira Guerra Mundial e aos levantes nacionalistas que estavam abalando a monarquia dos Habsburgos. Esta monarquia multinacional representava uma "irmandade" anacrônica de várias populações étnicas mantidas pela tradição e pela figura do imperador. O texto kafkiano pode ser analisado como uma configuração irônica da dissolução daquele Estado multiétnico.

Outros críticos sugeriram também que as três figuras da história constituem projeções da psique freudiana: Schmar, Wese e Pallas simbolizam respectivamente as pulsões incontroláveis do inconsciente, a fachada social do ego e o olhar observador do superego. Nesse cenário a obra compõe uma história da autodestruição psicológica.

Kafka favoreceu, especialmente nesse período de sua produção artística, esta técnica, praticada sobretudo em *Um médico rural*, livro ao qual pertence "Um fratricídio". Subjetivamente, a história pode ser lida como a luta do *eu* dividido de Kafka, no qual Wese, a vítima do assassinato, representa o burocrata classe média socialmente adaptado, cuja esposa o espera em casa quando ele deixa o escritório, e Schmar o *outsider* social, anarquista, que "elimina" seu alter ego conformista.

Está provado que o homicídio ocorreu da seguinte maneira: Schmar, o assassino, postou-se por volta das nove horas da noite de luar claro na mesma esquina que Wese, a vítima, vindo da rua onde ficava o seu escritório, tinha de dobrar para entrar na rua em que morava.

Ar noturno gelado, de fazer qualquer um tremer. Schmar porém vestia apenas uma roupa azul leve; além disso o paletó estava desabotoado. Não sentia frio, mantinha-se constantemente em movimento. A arma do crime, meio baioneta, meio faca de cozinha, ele empunhava firme, totalmente descoberta. Contemplou-a contra o luar; o fio da lâmina relampejou; para Schmar não era suficiente; brandiu-a de encontro às pedras do calçamento de tal modo que saltaram fagulhas; talvez tenha se arrependido; para reparar o dano passou-a como um arco de violino na sola da bota enquanto, em pé numa perna só, inclinado para a frente, permanecia ao mesmo tempo à escuta do som da faca na bota e à espreita da fatídica rua lateral.

Por que Pallas, um particular, observava tudo de perto da sua janela no segundo andar e tolerava tudo? Mas quem pode penetrar na natureza humana? Com a gola levantada, a cinta do roupão em volta do ventre amplo, balançando a cabeça, ele dirigia o olhar para baixo.

E cinco casas adiante, do lado oposto, em linha oblíqua, a senhora Wese, o abrigo de pele de raposa por cima da camisola, buscava com os olhos o marido que hoje tardava de maneira incomum.

Finalmente a sineta da porta do escritório de Wese soa, alto demais para uma sineta de porta, soa sobre a cidade em direção ao céu e Wese, o diligente trabalhador noturno, ainda invisível nessa rua, sai do prédio anunciado apenas pelo toque da sineta; logo em seguida o calçamento conta seus passos calmos.

Pallas inclina-se bem para fora; não pode perder nada. Tranquilizada pela sineta a senhora Wese fecha a janela, que retine. Mas Schmar se ajoelha; uma vez que no momento não tem outras partes do corpo descobertas, comprime o rosto e as mãos contra as pedras; onde tudo gela, Schmar incandesce.

Exatamente no limite que separa as ruas, Wese fica parado e se apoia só com a bengala na rua do outro lado. Um capricho. O céu noturno o atraiu — o azul-escuro e o dourado. Sem se dar conta disso ele olha para o alto, sem se dar conta disso ele alisa o cabelo sob o chapéu levantado; nada no céu se constela para indicar-lhe o futuro imediato; tudo permanece no seu lugar absurdo e inescrutável. A rigor é muito sensato que Wese continue andando, mas ele caminha para a faca de Schmar.

— Wese! — grita Schmar, na ponta dos pés, o braço estendido, a faca vivamente abaixada. — Wese! Júlia o espera em vão!

E Schmar golpeia à direita e à esquerda no pescoço e uma terceira vez fundo no ventre. Ratos d'água rasgados por uma lâmina emitem um som semelhante ao de Wese.

— Pronto — diz Schmar e atira a faca, o supérfluo lastro ensanguentado, em direção à próxima fachada. — Oh, bem-aventurança do assassinato! Alívio, alada ascensão alimentada pelo escorrer do sangue do outro! Wese, velha sombra noturna, amigo, companheiro de cervejaria, o chão escuro da rua o absorve. Por que você não é apenas uma bexiga cheia de sangue para que eu pudesse me sentar em cima e você desaparecesse por completo? Não é tudo que se cumpre, nem todos os sonhos em flor amadureceram, jazem aqui os seus pesados restos já inacessíveis a qualquer pontapé. De que serve a muda pergunta que você assim coloca?

Pallas, sufocando todo o veneno que tem no corpo, está em pé na porta da sua casa, as duas folhas escancaradas.

— Schmar! Schmar! Vi tudo, não me escapou nada!

Pallas e Schmar medem-se com o olhar. Pallas se satisfaz, Schmar não chega a uma conclusão.

A senhora Wese, com uma multidão de cada lado, vem correndo, o rosto totalmente envelhecido de susto. A pele se abre, ela se arroja sobre Wese, o corpo coberto pela camisola pertence a ele, a pele que se fecha sobre o casal como a relva de um túmulo pertence à multidão.

Schmar contém a custo a última náusea, a boca comprimida no ombro do guarda que o leva dali com passo ligeiro.

O abutre

Esta curta parábola foi provavelmente composta no começo do mês de novembro de 1920. O título foi dado pelo amigo e testamenteiro do escritor, Max Brod. No sentido de que incorpora muitas das estratégias que distinguem as narrativas parabólicas de Kafka, o texto pode ser considerado um modelo do estilo tardio das parábolas kafkianas, com o aproveitamento dos mitos clássicos, no caso o de Prometeu, acorrentado a um rochedo por desafiar os deuses e cujo fígado é devorado por águias. Mas aqui o narrador está sujeito aos ataques de um abutre, que não é uma ave predatória, mas sim a que só come carne podre. Sendo assim, põe-se a questão de que o narrador sob ataque já possa estar morto embora dele emane a voz que narra. Além do mais, não é seu fígado o alvo das bicadas, mas os pés, que constituem seu ponto de contato com o mundo como suportes sobre os quais ele se endireita (fica em pé) ou cai de fraqueza.

O abutre ataca primeiro os pés e no final dirige o bico para dentro da boca de quem narra. Trata-se de uma criatura paradoxal, pois em vez de se alimentar de carniça, como fazem os abutres, ele aqui desempenha o papel de uma ave de rapina.

O abutre é em geral entendido como a imagem da tuberculose de Kafka, diagnosticada pouco antes da redação da obra, uma vez que ela faz a vítima engasgar e morrer no seu sangue — alusão às hemoptises que foram o primeiro grave sintoma da moléstia fatal do escritor.

Era um abutre que bicava meus pés. Ele já havia estraçalhado botas e meias e agora bicava os pés propriamente. Toda vez que atacava, voava várias vezes ao meu redor, inquieto, e depois prosseguia o trabalho. Passou por ali um senhor, olhou um pouquinho e perguntou então por que eu tolerava o abutre.

— Estou indefeso — eu disse. — Ele chegou e começou a bicar, naturalmente eu quis enxotá-lo, tentei até enforcá-lo, mas um animal desses tem muita força, ele também queria saltar no meu rosto, aí eu preferi sacrificar-lhe os pés. Agora eles estão quase despedaçados.

— Imagine, deixar-se torturar dessa maneira! — disse o senhor. — Um tiro e o abutre está liquidado.

— É mesmo? — perguntei. — E o senhor pode cuidar disso?

— Com prazer — disse ele —, só preciso ir para casa pegar minha espingarda. O senhor pode esperar mais uma meia hora?

— Isso eu não sei — disse e fiquei em pé um momento, paralisado de dor.

Depois falei:

— De qualquer modo tente, por favor.

— Muito bem — disse o senhor. — Vou me apressar.

Durante a conversa o abutre escutou calmamente, deixando o olhar perambular entre mim e aquele senhor. Agora eu via que ele tinha entendido tudo: levantou voo, fez a curva da volta bem longe para ganhar ímpeto suficiente e depois, como um lançador de dardos, arremessou até o fundo de mim o bico pela minha boca. Ao cair para trás senti, liberto, como ele se afogava sem salvação no meu sangue, que enchia todas as profundezas e inundava todas as margens.

A ponte

Narrada na primeira pessoa, em 1916-7 essa parábola deu início a uma nova fase da criatividade literária de Kafka, na qual ele produziu, sobretudo, as histórias reunidas e publicadas no livro *Um médico rural*.

O texto é um exemplo espantoso de uma metáfora absoluta, comum nos escritos kafkianos dessa época. O narrador é uma figura estranhamente ambígua: ao mesmo tempo ponte (que se estende sobre um abismo rochoso) e um ser humano com mãos, pés e roupas, ambos marcados pelas tensões da ambivalência. Além disso, em sua forma humana a ponte é peculiarmente hermafrodita, apresentando traços que a associam tanto ao gênero masculino quanto ao feminino, o que complica mais sua ambiguidade. Como simples objeto, ela é paradoxal: construída para ligar os dois lados de uma passagem, está localizada em território ainda não mapeado, o que põe em dúvida sua utilidade. De fato, nunca transportou um só indivíduo de um lado para outro e na primeira vez em que é usada não consegue funcionar como ponte, desabando sobre o abismo rochoso.

Os primeiros críticos do texto sugeriram várias interpretações para o não funcionamento da ponte humana: como reflexão de vida de Kafka depois do rompimento com Felice Bauer, ou como um apanhado geral de qualquer ação humana capaz de se contrapor à morte e à destruição.

A crítica mais recente tende a focalizar as questões de gênero evidenciadas pelo texto na retórica da linguagem de ficção: as alusões sexuais que formam o cerne da interação entre a ponte (em alemão, a palavra também é gramaticalmente feminina) e a figura explicitamente masculina do passante. A bengala deste viandante remexe e penetra nos "cabelos" da ponte, o que pode ser lido como referência a uma relação sexual. Em Kafka, porém, a cópula representa um momento de violência mais do que de prazer ou de reprodução. Sendo assim, a ponte também tem sido avaliada como mais uma das autorreflexões kafkianas sobre a natureza da linguagem figurada, um dos seus recursos estilísticos preferidos. Em outras palavras, como tropo linguístico, a metáfora é uma ponte entre duas entidades que não têm conexão uma com a outra.

Eu estava rígido e frio, era uma ponte, estendido sobre um abismo. As pontas dos pés cravadas deste lado, do outro as mãos, eu me prendia firme com os dentes na argila quebradiça. As abas do meu casaco flutuavam pelos meus lados. Na profundeza fazia ruído o gelado riacho de trutas. Nenhum turista se perdia naquela altura intransitável, a ponte ainda não estava assinalada nos mapas. — Assim eu estava estendido e esperava; tinha de esperar. Uma vez erguida, nenhuma ponte pode deixar de ser ponte sem desabar.

Certa vez, era pelo anoitecer — o primeiro, o milésimo, não sei —, meus pensamentos se moviam sempre em confusão e sempre em círculo. Pelo anoitecer, no verão, o riacho sussurrava mais escuro — foi então que ouvi o passo de um homem! Vinha em direção a mim, a mim. — Estenda-se, ponte, fique em posição, viga sem corrimão, segure aquele que lhe foi confiado. Compense, sem deixar vestígio, a insegurança do seu passo, mas, se ele oscilar, faça-se conhecer e como um deus da montanha atire-o à terra firme.

Ele veio; com a ponta de ferro da bengala deu umas batidas em mim, depois levantou com ela as abas do meu casaco e as pôs em ordem em cima de mim. Passou a ponta por meu cabelo cerrado e provavelmente olhando com ferocidade em torno deixou-a ficar ali longo tempo. Mas depois — eu estava justamente seguindo-o em sonho por montanha e vale — ele saltou com os dois pés sobre o meio do meu corpo. Estremeci numa dor atroz, sem compreender nada. Quem era? Uma criança? Um sonho? Um salteador de estrada? Um suicida? Um tentador? Um destruidor? E virei-me para vê-lo. — Uma ponte que dá voltas! Eu ainda não tinha me virado e já estava caindo, desabei, já estava rasgado e trespassado pelos cascalhos afiados, que sempre me haviam fitado tão pacificamente da água enfurecida.

Na galeria

“Na galeria”, ou O realismo de Franz Kafka*

Quando visitava uma exposição de pintura francesa numa galeria de Praga, Franz Kafka ficou diante de várias obras de Picasso, naturezas-mortas cubistas e alguns quadros pós-cubistas. Estava acompanhado na ocasião pelo jovem Gustav Janouch, escritor de quem foi mentor na adolescência e que deixou um dos mais importantes depoimentos sobre o poeta tcheco — *Conversas com Kafka*.[1] Janouch comentou que o pintor espanhol distorcia deliberadamente os seres e as coisas. Kafka respondeu que Picasso não pensava desse modo: “Ele apenas registra as deformidades que ainda não penetraram em nossa consciência”. Com uma pontaria de mestre, acrescentou que “a arte é um espelho que adianta, como um relógio”, sugerindo que Picasso refletia algo que um dia se tornaria lugar-comum da percepção — “não as nossas formas, mas as nossas deformidades”.

A observação do grande prosador do século XX coincidia, por antecipação, com a famosa análise de Walter Benjamin, de 1934, no sentido de que em Kafka “as deformações são precisas”. Isso não desmente, antes confirma, o senso estético avançado do autor de Praga, que — para dizer o mínimo — tinha uma noção exata do que estava fazendo.

* Texto publicado originalmente em *Novos Estudos Cebrap*, mar. 2008.

Mas quando alguém bate na tecla do "realismo kafkiano" — que é o caso dos maiores analistas de sua obra, como Wilhelm Emrich, Günther Anders, o próprio Benjamin e Theodor Adorno[2] — a reação é de estranhamento, quando não de descrença. O cavalo de batalha, nessa hora, é *A metamorfose*, na qual o ficcionista transforma o personagem Gregor Samsa, já na primeira linha — onde está enterrada a chave da interpretação da novela —, num "inseto monstruoso" (*ungeheueres Ungeziefer*, que não passa por "barata" sem agredir brutalmente o original). Já discutimos essa questão na Sociedade Brasileira de Psicanálise, por ocasião do centenário de nascimento de Franz Kafka.[3] Não vale a pena insistir no tema. É preferível tentar *mostrar* como o realismo kafkiano (sem dúvida "problemático", uma vez que colide com a expectativa do leitor sobre o que é o realismo — mimese ou imitação da realidade, para simplificar as coisas) se materializa num conto incluído no volume *Um médico rural*.

O conto — na verdade um poema em prosa — é "Na galeria" ("Auf der Galerie") e consta de apenas dois parágrafos. Para as finalidades desta exposição, eles precisam ser reproduzidos na íntegra:

> Se alguma amazona frágil e tísica fosse impelida meses sem interrupção em círculos ao redor do picadeiro sobre o cavalo oscilante diante de um público infatigável pelo diretor de circo impiedoso de chicote na mão, sibilando em cima do cavalo, atirando beijos, equilibrando-se na cintura, e se esse espetáculo prosseguisse pelo futuro que se vai abrindo à frente sempre cinzento sob o bramido incessante da orquestra e dos ventiladores, acompanhado pelo aplauso que se esvai e outra vez se avoluma das mãos que na verdade são martelos a vapor — talvez então um jovem espectador da galeria descesse às pressas a longa escada através de todas as filas, se arrojasse no

picadeiro e bradasse o basta! em meio às fanfarras da orquestra sempre pronta a se ajustar às situações.

Mas uma vez que não é assim, uma bela dama em branco e vermelho entra voando por entre as cortinas que os orgulhosos criados de libré abrem diante dela; o diretor, buscando abnegadamente os seus olhos, respira voltado para ela numa postura de animal fiel; ergue-a cauteloso sobre o alazão como se fosse a neta amada acima de tudo que parte para uma viagem perigosa; não consegue se decidir a dar o sinal com o chicote; afinal dominando-se ele o dá com um estalo; corre de boca aberta ao lado do cavalo; segue com olhar agudo os saltos da amazona; mal pode entender sua destreza; procura adverti-la com exclamações em inglês; furioso exorta os palafreneiros que seguram os arcos à atenção mais minuciosa; as mãos levantadas, implora à orquestra para que faça silêncio antes do grande salto mortal; finalmente alça a pequena do cavalo trêmulo, beija-a nas duas faces e não considera suficiente nenhuma homenagem do público; enquanto ela própria, sustentada por ele, na ponta dos pés, envolta pela poeira, de braços estendidos, a cabecinha inclinada para trás, quer partilhar sua felicidade com o circo inteiro — uma vez que é assim, o espectador da galeria apoia o rosto sobre o parapeito e, afundando na marcha final como num sonho pesado, chora sem o saber.

Tanto o primeiro como o segundo parágrafo têm o mesmo cenário e no fundo narram o mesmo acontecimento, embora as perspectivas sejam diferentes e a atmosfera dos dois não seja a mesma. No primeiro, a atividade circense da "amazona" se dá sob a coação de um *chefe* impiedoso e de um público infatigável; no segundo, é apresentado um espetáculo edificante de destreza artística de uma cavaleira jovem e bela, bafejada pela sorte, pelo amor abnegado do *diretor* e pelas homenagens do público.

A leitura indica que no primeiro movimento do conto-poema é aventada a possibilidade de um espectador da galeria interromper, por meio de uma intervenção física, esse *show* infernal. No segundo, porém, o mesmo espectador não se mostra satisfeito (nem feliz) com o que se desenvolve no picadeiro; pelo contrário, ele desvia o olhar da arena e *chora* sobre o parapeito da galeria.

Esse comportamento contraditório do espectador só parece incompreensível na medida em que o *leitor* não consegue atribuir um sentido aos matizes do entrecho. Tudo indica que ele só pode se aproximar da explicação se relacionar o conteúdo do que é narrado com o recorte concreto da composição. Pois é apenas nesse momento que se manifesta o teor de verdade estético-crítico da peça.

Em relação à *forma verbal* do texto, a primeira impressão que se tem é a de sua disposição em duas camadas solidárias e opostas que, no caso, correspondem ao conteúdo duplamente articulado do texto. A partir desse reconhecimento, é possível examinar os traços que coincidem e discrepam uns dos outros.

Os dois longos períodos que compõem os parágrafos têm uma construção praticamente idêntica, uma vez que ambos consistem — os termos aqui usados são obviamente um empréstimo — de uma *premissa*, ou parte introdutória minuciosa, e de uma *conclusão*, ou parte final, sintética e separada da primeira por um travessão. Na premissa de cada parágrafo, o assunto de que se trata é o que ocorre no picadeiro, e na conclusão o tema é o comportamento do espectador da galeria.

Entretanto, ao passo que o primeiro parágrafo tem um caráter hipotético, possível mas não factual, dado pela conjunção "se", pelo indefinido "alguma" (*irgendeine*, "uma qualquer"), pelo verbo no subjuntivo — que em alemão, tanto quanto em português, designa mais a "irrealidade" do que o "real" — e pelo "talvez" da conclusão ou parte final, o segundo parágrafo, veiculado no modo indicativo (ou da "realidade" consensual), começa com a declaração categórica "mas uma vez que não é assim", que desautoriza tudo o que foi dito antes no primeiro.

Portanto, o segundo parágrafo entra em movimento com uma *definição* — que vai receber o reforço de uma repetição no *início* da parte final ou conclusão. O gerúndio como preferência verbal do autor escora essa afirmação. É visível que a principal característica do primeiro parágrafo é seu emprego abundante: "sibilando sobre o cavalo", "atirando beijos", "equilibrando-se na cintura" etc. Sabe-se que esse tempo do verbo (pouco usado em alemão) tem a faculdade de exprimir algo não acabado, aberto, flutuante — "irreal" — que aponta para outra direção.[4] É a vocação do gerúndio que potencia o aspecto de irrealidade expresso pelo subjuntivo. (Vale lembrar que, para alguns especialistas, Kafka desrealiza o real e realiza o irreal — mas é justamente aí que ele desmascara a ideologia, visto que esta, enquanto fachada, tende a contrabandear a aparência como realidade.)

Voltando ao conto: em contraste com o primeiro, o segundo parágrafo só aparece no *modo indicativo*, que é o espaço afirmativo da realidade. Mas não só isso como também se caracteriza por particípios passados, adjetivos, e não por gerúndios. Uma das exceções é representada pela conclusão, na qual se anuncia — agora em relação ao espectador da galeria e não ao que evolui no picadeiro — que ele "apoia o rosto no parapeito, *afundando* na marcha final como num sonho pesado" etc. Nessa frase, como o que se observou na parte introdutória do primeiro parágrafo, o gerúndio fortalece a tendência do subjuntivo para o reino aberto do não real e do "sonho".[5]

A articulação sintática dos dois parágrafos mantém estreita relação com o *ritmo* dos períodos, marcado pela pontuação. Mais especificamente: os ingredientes verbais da primeira premissa estão separados, no máximo, por vírgulas, e os da segunda, quase todos, por ponto e vírgula. Essa circunstância assinala que a leitura interessada no sentido da segunda premissa exige pausas mais longas para o encadeamento temporal de suas imagens. Assim é que no primeiro parágrafo a "corrida" do período — que diagrama a corrida da amazona na arena — tem a gesticulação verbal de uma marcha irresistível, *que vai em frente*, como se os acontecimentos narrados fossem quase simultâneos. Prova disso é a existência, aqui, do advérbio "finalmente", que sugere não um encavalamento, mas uma sequência particularmente rápida.

Em suma, o ritmo irresistível e flutuante da primeira premissa contrasta com o que há de segmentado e "truncado" na segunda. Mas é exatamente o oposto que sucede na *conclusão* das duas passagens — a ponto de alguém imaginar que Kafka as trocou de lugar por algum motivo. Pois a conclusão da primeira premissa está como que cortada ao meio pela exclamação "basta!", e a da segunda desliza sem tropeços até o fim.

Na dialética armada pelo texto, porém — ou na tática de inversão típica de Kafka —, o mundo *real*, o mundo *propriamente dito*, se manifesta na hipótese do primeiro parágrafo. Veja-se que nela o narrador não nomeado, *à la* Flaubert, afirma que as mãos são, *na verdade*, "martelos a vapor" (bate-estacas). É por meio dessa metáfora violenta que a realidade do segundo parágrafo é abalada, suspensa ou negada pela irrealidade apresentada no subjuntivo do primeiro, pois as mãos que batem palmas não são *propriamente*, *na verdade*, martelos a vapor.

Além disso, é nesse primeiro parágrafo do conto que se abre o campo para a *técnica*, assinalada pelo bramido dos ventiladores e pelo ruído das fanfarras. É possível que ela se infiltre até na maneira como a amazona fica entregue à lei impiedosa de um mecanismo impessoal: "durante meses sem interrupção" ela permanece girando — como a cavaleira no quadro *Le Cirque*, de Georges Seurat, que Kafka certamente viu, no Louvre, numa de suas duas únicas viagens a Paris — "pelo futuro cinzento que adiante se abre sem parar". Esse inferno do movimento automático e incessante é sustentado pelo *ritmo* da premissa do primeiro parágrafo, que também não sofre interrupção.

Seja como for, a evolução verbal e as imagens do segundo parágrafo despertam no leitor, por meio da submissão canina e do sentimentalismo cor-de-rosa do diretor, a impressão de algo falso e inautêntico: "Uma bela dama em branco e vermelho entra voando por entre as cortinas que os orgulhosos criados de libré abrem diante dela" — enquanto o diretor, que busca abnegadamente seus olhos, suspira ao seu encontro e ergue-a cuidadosamente, como se ela fosse a neta amada acima de tudo, que parte para uma viagem perigosa etc.

Não é exagero dizer que muita coisa aqui lembra as apresentações suntuosas e ordinárias dos auditórios de tevê dominados tanto pelas câmeras e refletores como pelas *divas* da mídia, que caem como uma luva nesse deletério "paraíso artificial". A esta altura é plausível arrematar que os dois parágrafos, integrados num regime de oposição, só se iluminam quando confrontados um com o outro, já que é da *montagem* de ambos que pode sair, como de um casulo, o sentido da narrativa.

Um passo adiante, se o leitor é capaz de vislumbrar, no mundo do circo, um símile do próprio mundo em que vive, então a realidade "propriamente dita" do *primeiro parágrafo*, em comparação com a realidade "aparente" do segundo, expõe sibilinamente a ferida da alienação contemporânea, vincada pelo atropelo e crueldade que ou não são captados pelo *público* (*pois é dele o ponto de vista de tudo*) ou então se veem despachados com um artifício que nada tem a ver com a verdade e que por isso mesmo invoca, aqui, o modo subjuntivo da irrealidade. "O gênero humano/ não pode suportar tanta realidade",[6] escreve T. S. Eliot. Seria possível até assumir que, neste caso, se trata de uma Grande Recusa de caráter regressivo.

É viável, ainda, supor que a imagem do circo kafkiano aponta para o mundo da arte (no original, a palavra "amazona" ou "artista a cavalo" é designada pelo composto *Kunstreiterin*. *Kunst* significa "arte"; *reiterin*, "cavaleira"). Dentro desse quadro, a figura "frágil" e "tísica" vista pelo público (que a rejeita) pode representar a atividade artística, que prefere o imaginário ao que é falso. A atitude básica do público, aliás, se distingue pela falta de "visão" (que o espectador da galeria tem, do seu lugar privilegiado no alto do circo) — tanto no que diz respeito ao embotamento como no martelar mecânico do seu aplauso "bate-estacas".

Por outro lado, a realidade "propriamente dita" (na contracorrente do modo subjuntivo), que informa o primeiro período, é encoberta pela "aparência" do segundo, que o público-massa não consegue penetrar (como se disse dos quadros de Picasso) e que, por isso mesmo, toma como sendo verdadeira. *É esse o motivo pelo qual Kafka usou aqui o modo indicativo.* Claro que, por esse prisma, a miséria aparece forçosamente como felicidade, a fragilidade e a doença como beleza, a crueldade como cuidado amoroso.

O único "personagem" que se descola do comportamento do público é o jovem espectador da galeria. Kafka indica que ele poderia interromper o desatino que se repete ao infinito na arena do circo. Mas diante da bela ilusão (ou *fantasmagoria*, para a teoria social) que aí prevalece, ele afunda no sono e "chora sem o saber". Uma reação como essa torna evidente que ele não é engolido pelo entusiasmo manipulado (e aceito pela multidão), mas sim tocado pela tragédia anônima da amazona proletária, embora já não tenha forças nem para enfrentar a própria sensibilidade diante do que sabe que é feroz e veraz.

A conclusão do primeiro parágrafo, por sinal, diz que ele "talvez" se arrojasse ao picadeiro e bradasse o *basta!* àquele *show* de degradação. Se não o faz, é porque é incapaz de impedir o sofrimento do mundo reificado, que esconde a verdade atrás de uma fachada que a "imitação" muitas vezes duplica para não "deformar".

Mas o autor-narrador está empenhado em abrir os olhos do leitor para o que interessa, dando-lhe a medida de sua responsabilidade e para que grite o *basta!* no picadeiro em que o mundo-espetáculo se transformou e se consolida. Com certeza é nisso que residem o *realismo de Kafka* e sua capacidade de intervenção: ele *mostra*, no próprio corpo de obras-primas como essa, as coisas como elas são e as coisas como elas são percebidas pelo olhar alienado.

Evidentemente não se trata do realismo dos grandes mestres do século XIX, embora Kafka se considerasse "parente de sangue" de Flaubert e Kleist. O século XX já era um outro mundo, e os moldes de um Balzac ou de um Tolstói, por exemplo, não podiam dar conta dele, sob pena de um acomodado anacronismo estético-histórico. Sendo assim, era preciso criar novos modos de olhar e narrar, e Kafka criou o dele — inconfundível —, que, por ser novo e renovador, aberto às ocorrências que surgiam em estado de casulo, causou espanto e estranheza quando foi chamado de "realista".

NOTAS

1 Gustavo Janouch, *Conversas com Kafka*, trad. de Celina Luz, Rio de Janeiro, Nova Fronteira, 1983.

2 Wilhelm Emrich, *Franz Kafka*: *a critical study of his writings*, Nova York, Frederic Ungar, 1968; Günther Anders, *Kafka*: *pró e contra*, trad. e posf. de Modesto Carone, São Paulo, CosacNaify, 2007; Theodor Adorno, "Anotações sobre Kafka", in *Prismas*, trad. de Augustin Wernet e Jorge Mattos de Almeida, São Paulo, Ática, 1998; Theodor Adorno, "Posição do narrador no romance contemporâneo", in *Notas de literatura I*, trad. de Jorge Mattos de Almeida, São Paulo, Duas Cidades/Editora 34, 2003.

3 Modesto Carone, "O realismo de Franz Kafka", *Novos Estudos Cebrap* 80, mar. 2008, pp. 197-203.

4 Cf. Celso Cunha e Lindley Cintra, *Nova gramática do português contemporâneo*, 2ª ed., Rio de Janeiro, Nova Fronteira, 1985, p. 481: "O aspecto inacabado do GERÚNDIO permite-lhe exprimir a ideia de progressão indefinida, naturalmente mais acentuada se a forma vier repetida".

5 Ibid., p. 453: "Quando nos servimos do MODO INDICATIVO, consideramos o fato expresso como *certo*, *real*, seja no presente, seja no passado, seja no futuro. Ao empregarmos o MODO SUBJUNTIVO, é completamente diversa a nossa atitude. Encaramos, então, a existência ou não existência do fato como uma coisa *incerta*, *duvidosa*, *eventual* ou, mesmo, *irreal*". Cf. também a nota anterior.

6 "Quatro quartetos", in *Poemas*, trad. de Ivan Junqueira, 4ª ed., Rio de Janeiro, Nova Fronteira, 1984, p. 200.

Se alguma amazona frágil e tísica fosse impelida meses sem interrupção em círculos ao redor do picadeiro sobre o cavalo oscilante diante de um público infatigável pelo diretor de circo impiedoso de chicote na mão, sibilando em cima do cavalo, atirando beijos, equilibrando-se na cintura, e se esse espetáculo prosseguisse pelo futuro que se vai abrindo à frente sempre cinzento sob o bramido incessante da orquestra e dos ventiladores, acompanhado pelo aplauso que se esvai e outra vez se avoluma das mãos que na verdade são martelos a vapor — talvez então um jovem espectador da galeria descesse às pressas a longa escada através de todas as filas, se arrojasse no picadeiro e bradasse o basta! em meio às fanfarras da orquestra sempre pronta a se ajustar às situações.

Mas uma vez que não é assim, uma bela dama em branco e vermelho entra voando por entre as cortinas que os orgulhosos criados de libré abrem diante dela; o diretor, buscando abnegadamente os seus olhos respira voltado para ela numa postura de animal fiel; ergue-a cauteloso sobre o alazão como se fosse a neta amada acima de tudo que parte para uma viagem perigosa; não consegue se decidir a dar o sinal com o chicote; afinal dominando-se ele o dá com um estalo; corre de boca aberta ao lado do cavalo; segue com olhar agudo os saltos da amazona; mal pode entender sua destreza; procura adverti-la com exclamações em inglês; furioso exorta os palafreneiros que seguram os arcos à atenção mais minuciosa; as mãos levantadas, implora à orquestra para que faça silêncio antes do grande salto mortal; finalmente alça a pequena do cavalo trêmulo, beija-a nas duas faces e não considera suficiente nenhuma homenagem do público; enquanto ela própria, sustentada por ele, na ponta dos pés, envolta pela poeira, de braços estendidos, a cabecinha inclinada para trás, quer partilhar sua felicidade com o circo inteiro — uma vez que é assim, o espectador da galeria apoia o rosto sobre o parapeito e, afundando na marcha final como num sonho pesado, chora sem o saber.

Pequena fábula

"Pequena fábula": anotações breves sobre um texto curto de Kafka

Trata-se de uma fábula porque neste relato intervêm animais falantes. Mas não existe aqui — como é o caso da tradição das fábulas — uma moral explícita da história no final. A ausência dessa moral da história levou muitos intérpretes a não aceitarem que o caso é de fábula, embora o título seja esse, e sim de uma parábola, que apresenta a história como se ela estivesse ao lado de outra, com a qual estabelece relações de analogia.

Basicamente, o texto é um monólogo do rato. O monólogo — sempre expressão do isolamento — começa com uma interjeição (ah!). Essa interjeição é no entanto logo absorvida no relato de algo experimentado *antes* (o mundo era vasto, mais amplo que agora). A repetição da primeira pessoa (*eu*) e as expressões "medo" e "feliz", que exprimem afetos e se contradizem mutuamente, provocam o leitor a algum tipo de participação. As experiências do rato são apresentadas como sendo ativas só *uma vez*: *eu via*. As demais são vividas passivamente: o mundo torna-se mais estreito, as paredes convergem uma para a outra, lá no canto fica a ratoeira. Tudo se passa como se o rato se visse num processo que corre com autonomia, naturalmente, sem intervenção do personagem narrador. O resto deve, assim, submeter-se à noção de que a sua situação é sem saída. O rato sempre foi movido — impulsionado — pelo medo; é isso que o faz correr para a frente, para o que é amplo e vasto, e perder-se no que é necessariamente estreito.

O fecho lacônico da peça tem uma precisão lógica que não é necessariamente cínica, e aparece sob a forma de um conselho desinteressado. O verbo "devorou" (*frass*, do verbo "comer", destinado aos animais) assinala um acontecimento esperado num lugar inesperado, e assume sua força no momento em que alcança uma nova dimensão que parecia faltar ao texto.

O que Kafka diz nessa micronarrativa? Ele diz, entre outras coisas, que a última saída da razão leva à ruína. Ou seja: que todos os esforços para superar o medo e a derrocada significam apenas gradações da falta de liberdade objetiva do mundo. Para o rato, não existe escolha, ou melhor: essa escolha só pode se dar entre as alternativas de se submeter à violência da ratoeira e à violência do rato.

Nas *Conversações com Kafka*, de Gustav Janouch, o poeta de Praga afirma, a certa altura, o seguinte: "Existe muita esperança, mas não para nós".

Era esse o teor — a base da sua dialética negativa — e não há como discordar da coerência do humor negro contido nesta fábula.

“Ah”, disse o rato, “o mundo torna-se a cada dia mais estreito. A princípio era tão vasto que me dava medo, eu continuava correndo e me sentia feliz com o fato de que finalmente via à distância, à direita e à esquerda, as paredes, mas essas longas paredes convergem tão depressa uma para a outra, que já estou no último quarto e lá no canto fica a ratoeira para a qual eu corro.” — “Você só precisa mudar de direção”, disse o gato e devorou-o.

Uma mensagem imperial

Esta parábola foi publicada em jornal em 1919 e incluída no livro de contos *Um médico rural*. Sua intenção é demonstrar a distância infinita que existe entre o imperador da China e as pessoas comuns. Relata como o alto mandatário sussurra uma mensagem importante, quando já está agonizando, no ouvido de um dos seus súditos. Este deve transmiti-la a um dos homens do povo, aqui tratado como "você". A despeito da importância da mensagem e da energia do mensageiro, ela nunca chega ao objetivo. Numa distorção característica das dimensões de tempo e espaço promovida pelo autor, a mensagem precisa transpor os obstáculos do caminho, o que torna impossível à mensagem chegar ao destinatário. Uma vez que o leitor do texto é o súdito aludido por "você", é possível ler a obra como uma alegoria da recusa geral de qualquer sentido certo e inequívoco da escrita kafkiana. Assim como o súdito do imperador espera em vão a mensagem do soberano agonizante, os intérpretes de Kafka aguardam inutilmente a transmissão do significado último pretendido pelo autor.

O imperador — assim consta — enviou a você, o só, o súdito lastimável, a minúscula sombra refugiada na mais remota distância diante do sol imperial, exatamente a você o imperador enviou do leito de morte uma mensagem. Fez o mensageiro se ajoelhar ao pé da cama e segredou-lhe a mensagem no ouvido; estava tão empenhado nela que o mandou ainda repeti-la no seu próprio ouvido. Com um aceno de cabeça confirmou a exatidão do que tinha sido dito. E perante todos os que assistem à sua morte — todas as paredes que impedem a vista foram derrubadas e nas amplas escadarias que se lançam ao alto os grandes do reino formam um círculo —, perante todos eles o imperador despachou o mensageiro. Este se pôs imediatamente em marcha; é um homem robusto, infatigável; estendendo ora um, ora o outro braço, ele abre caminho na multidão; quando encontra resistência aponta para o peito onde está o símbolo do sol; avança fácil como nenhum outro. Mas a multidão é tão grande, suas moradas não têm fim. Fosse um campo livre que se abrisse, como ele voaria! — e certamente você logo ouviria a esplêndida batida dos seus punhos na porta. Ao invés disso porém — como são vãos os seus esforços; continua sempre forçando a passagem pelos aposentos do palácio mais interno; nunca irá ultrapassá-los; e se o conseguisse nada estaria ganho: teria de percorrer os pátios de ponta a ponta e depois dos pátios o segundo palácio que os circunda; e outra vez escadas e pátios; e novamente um palácio; e assim por diante, durante milênios; e se afinal ele se precipitasse do mais externo dos portões — mas isso não pode acontecer jamais, jamais — só então ele teria diante de si a cidade-sede, o centro do mundo, repleto da própria borra amontoada. Aqui ninguém penetra; muito menos com a mensagem de um morto. — Você no entanto está sentado junto à janela e sonha com ela quando a noite chega.

Desista!

O texto desta parábola de 1922 recebeu também o título de "Um comentário" ("Ein commentar"). É provável que este último referia-se diretamente ao esboço de uma carta de Kafka a Franz Werfel, na qual ele pretendia demonstrar o tipo de elaboração parabólica comum aos comentários do talmude. "Desista!" é considerada uma obra emblemática do estilo tardio de Kafka, narrada em primeira pessoa por alguém que quer encontrar o caminho para a estação ferroviária numa cidade desconhecida. Seu atraso no tempo leva-o a se desorientar no espaço. Ou pôr de lado aquela busca. Essa observação é acompanhada por um riso misterioso, que torna as ações do guarda mais incompreensíveis ainda.

O texto está construído em torno da discrepância entre as expectativas do narrador em relação ao policial para resolver o dilema e o desapontamento enfático (na verdade, ridículo) dessas expectativas: a discrepância encoraja o leitor a duvidar do retrato realista do texto e a ultrapassar seu nível literal, levando-o a especular sobre os sentidos metafísicos ou simbólicos que a história está escondendo atrás da imagem central. A tentativa de traduzir a superfície literal para qualquer núcleo de significado (biográfico, psicanalítico, histórico, religioso ou experimental) é inútil: o que realmente fica ressoando no conto é o riso escarninho do guarda.

Era de manhã bem cedo, as ruas limpas e vazias, eu ia para a estação ferroviária. Quando confrontei um relógio de torre com o meu relógio, vi que já era muito mais tarde do que havia acreditado, precisava me apressar bastante; o susto dessa descoberta fez-me ficar inseguro no caminho, eu ainda não conhecia bem aquela cidade, felizmente havia um guarda por perto, corri até ele e perguntei-lhe sem fôlego pelo caminho. Ele sorriu e disse:

— De mim você quer saber o caminho?

— Sim — eu disse —, uma vez que eu mesmo não posso encontrá-lo.

— Desista, desista — disse ele e virou-se com um grande ímpeto, como as pessoas que querem estar a sós com o seu riso.

Aforismos

O *Dicionário etimológico* de José Pedro Machado[1] informa que a palavra "aforismo" deriva do grego e chegou à língua portuguesa através do latim tardio *aphorismus*, com o significado de "limitação, breve definição, sentença". Acrescenta que, com o tempo (já está documentado no século XVI), o termo passou a designar "uma sentença breve e indiscutível, que resume uma doutrina".

Kafka recorreu ao aforismo em suas conversas (por exemplo, com o poeta Gustav Janouch, autor do livro *Conversas com Kafka*, de 1953) e no decorrer de sua carreira como escritor. Uma das principais coleções dessas "sentenças breves e indiscutíveis" foi publicada no pequeno e famoso livro *Er* [Ele], a partir das anotações dos diários que o escritor manteve de 1909 a 1923-4.

Do outono de 1917 até a primavera de 1918, o pensador de Praga, já muito doente, recebeu uma licença de saúde do trabalho de jurista e foi morar na propriedade de Zürau, dirigida por sua irmã predileta, Ottla. Foi no campo, com a "respiração diferente" e atento à gravidade da tuberculose pulmonar que deveria matá-lo (sua primeira hemoptise ocorreu em 1917), que ele se dedicou com afinco a esse tipo de escrita, que testemunha sua preocupação com a vida e a morte, lembrando pelo laconismo, ou então pela frase circunstanciada, o "protocolo kafkiano", que coincide, em longa medida, com o seu gosto pela narrativa breve (contos, novelas, parábolas), que vinca sua obra e, até certo ponto, supera, pela composição enxuta e muitas vezes rasante, os grandes romances do espólio.

Nesse período, Kafka absteve-se de escrever ficção, só voltando a ela bem mais tarde — o torso colossal de *O castelo*, por exemplo, foi redigido em seis meses em 1922, dois anos antes de sua morte.

O aspecto factual mais relevante dos 109 *Aforismos reunidos* é que eles resultaram de uma seleção feita pelo autor, depois de tê-los passado a limpo à mão, com a evidente intenção de dá-los a público. Tudo indica que não houve tempo hábil para tomar essa decisão. A discrição de Kafka chegava a esse ponto e de certo modo explica sua tentativa (felizmente fracassada) de mandar o amigo Max Brod destruir os escritos não publicados em vida.

A base para este trabalho foi o volume *Beim Bau der Chinesischen Mauer und andere Schriften aus dem Nachlass* [Durante a construção da Muralha da China e outros escritos do espólio], incluído entre os doze tomos da edição de bolso elaborada segundo os manuscritos originais da edição crítica das obras de Franz Kafka (Org. de Hans-Gerd Koch, Frankfurt am Main, Fischer Taschenbuch Verlag, 1994).

NOTA

1 *Dicionário etimológico da língua portuguesa*, 3ª ed., Lisboa, Livros Horizonte, 1977, 5 vols.

1

O verdadeiro caminho passa por uma corda que não está esticada no alto, mas logo acima do chão. Parece mais destinada a fazer tropeçar do que a ser trilhada.

2

Todos os erros humanos são impaciência, uma ruptura precoce do que é metódico, uma aparente implantação daquilo que é aparente.

3

Existem dois pecados capitais, dos quais todos os outros derivam: impaciência e indolência. Por causa da impaciência os homens foram expulsos do paraíso, por causa da indolência eles não voltam. Mas talvez só exista um pecado capital: a impaciência. Por causa da impaciência eles foram expulsos, por causa dela eles não voltam.

4

Muitas sombras dos que morreram ocupam-se apenas em lamber as ondas do rio dos mortos, porque ele corre a partir de nós e ainda tem o gosto salgado dos nossos mares. O rio então recua de nojo, flui em sentido contrário e atira os mortos de volta à vida. Estes, porém, estão felizes, cantam canções de graça e acariciam o fluxo indignado.

5

A partir de certo ponto não há mais retorno. É este o ponto que tem de ser alcançado.

6

O momento decisivo da evolução humana é permanente. Por isso estão certos os movimentos revolucionários do espírito que declaram nulo tudo o que veio antes, pois nada ainda aconteceu.

7

Um dos meios de sedução mais eficazes do mal é a exortação à luta. É como a luta com mulheres, que termina na cama.

8-9

Uma cadela de mau cheiro, que pariu numerosos filhotes, em parte já apodrecendo, mas que na minha infância era tudo para mim, que me segue fielmente o tempo todo, em quem não consigo bater, mas que, mesmo evitando seu hálito, eu me desvio indo para trás e que, se não me decido por alguma outra coisa, irá me empurrar até o canto já visível da parede, para se decompor totalmente em cima de mim e comigo — é uma honra que me dá? —, a carne purulenta e cheia de vermes da sua língua em minha mão.

10

A. está muito cheio de si, julga-se bem adiantado na bondade, uma vez que — evidentemente como um objeto cada vez mais sedutor — se sente exposto a um número sempre maior de seduções, que até então lhe eram totalmente desconhecidas. A explicação certa, porém, é que nele se instalou um grande demônio e uma infinidade de outros, menores, vem vindo para servir ao maior.

11-12

Diferença das visões que se pode ter, por exemplo, de uma maçã: a visão do menino que precisa esticar o pescoço para ainda ver a maçã sobre o tampo da mesa e a do dono da casa, que pega a maçã e a estende livremente ao companheiro de mesa.

13

Um primeiro sinal do início do conhecimento é o desejo de morrer. Esta vida parece insuportável, a outra inatingível. A pessoa já não se envergonha mais de querer morrer; pede para ser levada da velha cela que ela odeia para uma nova, que só então aprenderá a odiar. Persiste um resíduo de fé durante a transferência se o senhor casualmente passar pelo corredor, avistar o prisioneiro e disser: "Este homem vocês não podem prender outra vez. Ele vai para a minha casa".

14

Se você estivesse cruzando uma planície com a firme intenção de ir em frente, mas andasse para trás, isso então seria desesperador; mas uma vez que está escalando uma encosta íngreme, tão íngreme quanto você próprio é visto de baixo, os passos para trás podem ser causados apenas pela condição do terreno e você não precisa se desesperar.

15

Como uma trilha no outono: mal foi varrida, cobre-se outra vez de folhas secas.

16

Uma gaiola saiu à procura de um pássaro.

17

Neste lugar eu ainda nunca estive: a respiração é diferente e, mais ofuscante que o sol, brilha ao seu lado uma estrela.

18

Se tivesse sido possível construir a torre de Babel sem escalá-la até o topo, ela teria sido permitida.

19

Não deixe que o mal o faça acreditar que você poderia guardar segredos diante dele.

20

Leopardos irrompem no templo e bebem até o fim os jarros de sacrifício; isso se repete sempre, sem interrupção; finalmente pode-se contar de antemão com esse ato e ele se transforma em parte da cerimônia.

21

Com tanta firmeza quanto a mão segura a pedra. Ela a segura firmemente, porém, só para atirá-la mais longe. Mas o caminho também leva àquelas distâncias.

22

Você é a lição de casa. Por todos os lados nenhum aluno.

23

Do adversário de verdade flui uma coragem sem limites para dentro de você.

24

Compreender a felicidade de que o solo sobre o qual você se mantém não pode ser maior que os dois pés que o cobrem.

25

Como é possível alguém alegrar-se com o mundo, a não ser quando se refugia nele?

26

Os esconderijos são inumeráveis, a salvação apenas

uma, mas as possibilidades de salvação, por sua vez, são tantas quanto os esconderijos.

Existe um objetivo, mas nenhum caminho; o que chamamos de caminho é hesitação.

27

Ainda nos impõem fazer o que é negativo; o positivo já nos foi dado.

28

Uma vez incorporado o mal, não se exige mais que se acredite nele.

29

O animal arranca o chicote das mãos do dono e chicoteia a si mesmo, sem saber que isso é apenas uma fantasia produzida por um novo nó na correia.

30

Em certo sentido o bem não tem consolo.

31

Não aspiro ao autocontrole. Autocontrole significa: querer atuar num lugar aleatório das irradiações infinitas da minha existência espiritual. Mas tenho de traçar estes círculos em torno de mim, por isso é melhor fazê-lo passivamente no puro espanto de admiração perante o imenso complexo e levar para casa apenas a força que, *e contrário*, essa visão oferece.

32

As gralhas afirmam que uma só poderia destruir o céu. Não há dúvida quanto a isso, mas não prova nada contra o céu, pois os céus significam justamente: impossibilidade de gralhas.

33

Os mártires não subestimam o corpo, deixam que ele seja erguido na cruz e nisso estão de acordo com os antagonistas.

34

Sua exaustão é a do gladiador após a luta, seu trabalho foi caiar o canto do escritório de um funcionário.

35

Não existe um *ter*, somente um *ser* — apenas um ser que anseia pelo último alento, pela asfixia.

36

Antes eu não entendia por que não recebia nenhuma resposta à minha pergunta, hoje não entendo como podia acreditar que era capaz de acreditar. Mas realmente não acreditava, só perguntava.

37

Sua resposta à afirmação de que talvez tivesse posses, mas não existência, foi apenas tremor e taquicardia.

38

Alguém se espantava com o fato de andar com facilidade pelo caminho da eternidade; na verdade ele o percorria para baixo.

39

Não se pode pagar o mal a prestação — e, no entanto, as pessoas tentam isso sem parar.

Seria concebível que Alexandre, o Grande, a despeito dos êxitos guerreiros de sua juventude, do excelente exército que formou, das forças que sentia dentro de si para mudar o mundo, tenha estacado às margens do Helesponto e jamais o atravessado, na verdade não por medo, indecisão ou falta de energia, mas por causa da força da gravidade.

39A

O caminho é infinito, não há nada a subtrair ou acrescentar e, no entanto, todos insistem na própria medida infantil. "Certamente você precisa percorrer mais esse côvado de caminho, isso não lhe será negado."

40

Só a nossa concepção de tempo nos faz nomear o Juízo Final com essas palavras; na realidade ele é uma corte permanente.

41

A desproporção do mundo parece ser, de maneira consoladora, apenas numérica.

42

Permitir que a cabeça cheia de asco e ódio afunde no peito.

43

Os cães de caça ainda brincam no pátio, mas a presa não lhes escapa, por mais que já dispare pelas florestas.

44

É ridículo como você coloca arreios em si mesmo para este mundo.

45

Quanto mais cavalos você atrela para o trabalho, tanto mais rápido ele anda, ou seja: não para arrancar os blocos de alicerce, o que é impossível, mas para rebentar as correias e, como resultado, a alegre viagem vazia.

46

A palavra *ser* [*sein*] significa duas coisas em alemão: *estar aí* [*Dasein*] e *pertencer-lhe* [*Ihm gehören*].

47

Foi-lhes apresentada a opção para se tornarem reis ou mensageiros dos reis. À maneira das crianças, todos quiseram ser mensageiros. É por isso que existe um bando de mensageiros que correm pelo mundo e, uma vez que não há mais reis, bradam uns para os outros as mensagens que perderam o sentido. Gostariam de pôr um fim à sua vida miserável, mas não ousam fazê-lo por causa do juramento de ofício.

48

Crer no progresso não significa crer que ele já aconteceu. Isso não é crença.

49

A. é um virtuose e o céu sua testemunha.

50

O homem não consegue viver sem uma confiança duradoura em algo indestrutível nele mesmo, muito embora tanto o indestrutível como a confiança possam permanecer-lhe ocultos de maneira contínua. Uma das possibilidades dessa ocultação permanente é a crença em um Deus pessoal.

51

A mediação da serpente era necessária: o mal pode seduzir o homem, mas não tornar-se homem.

52

Na luta entre você e o mundo, apoie o mundo.

53

Não se deve fraudar ninguém, nem mesmo o mundo por sua vitória.

54

Não existe nada a não ser um mundo espiritual; o que chamamos de mundo dos sentidos é o mal no mundo do espírito e o que chamamos de mal, apenas a necessidade de um instante em nossa eterna evolução.

Com a mais forte das luzes pode-se dissolver o mundo. Diante de olhos fracos, torna-se sólido, de olhos mais fracos não se adapta, de outros mais fracos ainda, fica envergonhado e esmaga quem ousa fitá-lo.

55

Tudo é fraude: buscar o mínimo de ilusão, permanecer no nível usual, buscar o máximo. No primeiro caso, frauda-se o bem, na medida em que se deseja tornar fácil demais sua conquista; o mal, na medida em que é colocado em condições de luta excessivamente desfavoráveis. No segundo caso, o bem é fraudado na medida em que não se luta para alcançá-lo, nem mesmo naquilo que é terreno. No terceiro caso, frauda-se o bem na medida em que a esperança é torná-lo impotente com sua máxima intensificação. Seria preferível, nisso tudo, o segundo caso, pois sempre se frauda o bem e não o mal; neste caso, pelo menos na aparência.

56

Há questões que não poderíamos superar se não estivéssemos livres delas pela própria natureza.

57

Só alusivamente a linguagem pode ser usada para tudo o que está fora do mundo dos sentidos, mas nunca comparativamente, nem mesmo de forma aproximada, uma vez que ela só trata, correspondendo ao mundo sensorial, da propriedade e de suas relações.

58

Mente-se o menos possível só quando se mente o menos possível e não quando se tem a menor oportunidade possível para mentir.

59

Um degrau de escada que não foi desgastado a fundo é, do seu próprio ponto de vista, apenas algo de madeira montado no ermo.

60

Quem renuncia ao mundo tem de amar a todos os seres humanos, pois também renuncia ao mundo deles. A partir daí começa a pressentir a verdadeira essência humana, que não é outra coisa senão poder ser amado, pressupondo-se que esteja à altura disso.

61

Quem, dentro do mundo, ama o próximo não está mais nem menos certo do que quem, dentro do mundo, ama a si mesmo. Resta só a pergunta sobre se o primeiro deles é possível.

62

O fato de que não existe nada senão um mundo do espírito tira-nos a esperança e nos dá a certeza.

63

Nossa arte consiste em ser ofuscado pela verdade: a luz sobre o rosto horrível que vai recuando é verdadeira, de resto nada.

64-65

A expulsão do paraíso, no seu principal aspecto, é eterna. É verdade também que essa expulsão é definitiva e que a vida no mundo, inevitável, mas, apesar disso, a eternidade do processo torna possível não só que continuemos continuamente no paraíso, como também que, na realidade, estamos lá de forma duradoura, não importa se aqui temos ou não conhecimento disso.

66

Ele é um cidadão livre e seguro da Terra, pois está atado a uma corrente suficientemente longa para dar-lhe livre acesso a todos os espaços terrenos e, no entanto, longa apenas para que nada seja capaz de arrancá-lo dos limites da Terra. Mas é, ao mesmo tempo, também um cidadão livre e seguro do céu, uma vez que está igualmente atado a uma corrente celeste calculada de maneira semelhante. Assim, se quer descer à Terra, a coleira do céu o enforca; se quer subir ao céu, enforca-o a coleira da Terra. A despeito de tudo, tem todas as possibilidades e as sente, recusando-se mesmo a atribuir o que acontece a um erro cometido no primeiro ato de acorrentar.

67

Ele corre atrás dos fatos como um principiante em corrida de patins, que, além do mais, se exercita onde quer que seja proibido.

68

O que pode ser mais alegre que a crença em um deus da casa?

69

Teoricamente existe uma chance de felicidade plena: acreditar no que há de indestrutível em si próprio e não ter de lutar para alcançá-lo.

70-71

O indestrutível é um só: cada indivíduo em particular o é, e ao mesmo tempo ele é comum a todos, daí a força sem paralelo da união indissolúvel entre os homens.

72

Existem no mesmo ser humano conhecimentos que, a despeito da completa diferença entre eles, têm o mesmo objeto, de tal forma que só é possível concluir que há sujeitos diferentes no mesmo ser humano.

73

Ele devora os despojos que caem da própria mesa; sendo assim, na verdade, fica por algum tempo mais satisfeito que todos, mas se esquece de comer à mesa; com isso, porém, deixam de cair no chão também os despojos.

74

Se o que devia ser destruído no paraíso fosse passível de destruição, então isso não era decisivo; mas se era indestrutível, então vivemos numa falsa crença.

75

Teste a si mesmo pela humanidade. Ela faz quem duvida a duvidar, quem acredita a acreditar.

76

O sentimento: "Aqui eu não ancoro" — e imediatamente sente em sua volta as ondas da maré montante arrastando.

Uma reviravolta. À espreita, com medo, esperançosa, a resposta cerca a pergunta, examina desesperadamente seu semblante inacessível, segue-a pelos caminhos mais sem sentido, ou seja: os que se empenham em chegar ao lugar o mais distante da resposta.

77

O convívio com os seres humanos atrai para a auto-observação.

78

O espírito só fica livre quando deixa de ser um suporte.

79

O amor sensual nos ilude sobre o amor celeste; sozinho, não poderia fazê-lo; mas pode, uma vez que tem dentro de si, inconscientemente, o elemento do amor sensual.

80

A verdade é indivisível, portanto não pode ter conhecimento de si mesma; quem quer que diga conhecê-la está se referindo a uma mentira.

81

Ninguém pode exigir o que em última análise o prejudica. Se uma pessoa em particular, afinal de contas, parece ser assim — e talvez existam sempre pessoas desse tipo —, isso se explica pelo fato de que alguém, no ser humano, exige algo que na verdade o beneficia, embora prejudique seriamente um segundo, em parte atraído para julgar o caso. Se a pessoa foi colocada logo de início, e não apenas na hora do julgamento, ao lado da segunda, então a primeira teria desaparecido aos poucos e com ela a exigência.

82

Por que nós nos queixamos do pecado original? Não foi por sua causa que fomos expulsos do paraíso, mas por causa da árvore da vida.

83

Não somos pecadores somente por ter comido da árvore do conhecimento, mas também porque ainda não comemos da árvore da vida. O estado em que nos encontramos é pecaminoso independentemente de culpa.

84

Fomos criados para viver no paraíso, o paraíso estava destinado a nos servir. Nosso destino foi modificado; que isso tivesse acontecido também com a determinação do paraíso, não é dito em parte alguma.

85

O mal é uma irradiação da consciência humana em certas situações de transição. Não é propriamente o mundo sensorial que é aparência, mas o mal que carrega consigo e, seja como for, constitui o mundo dos sentidos para os nossos olhos.

86

Desde o pecado original fomos essencialmente iguais para conhecer o bem e o mal; no entanto, é exatamente neste ponto que buscamos nossas vantagens particulares. Mas é só além desse conhecimento que começam as verdadeiras diferenças. A aparência recíproca é provocada pelo seguinte: ninguém consegue contentar-se apenas com o conhecimento, mas tem de lutar para agir de acordo com ele. Contudo, não lhe foi atribuída a força para fazer isso; em consequência, ele tem de se destruir, mesmo correndo o risco de não adquirir com isso o poder necessário, mas não lhe resta nada senão essa última tentativa. (É este também o sentido da ameaça de morte associada à proibição de comer da árvore do conhecimento; talvez também o sentido original da morte natural.) Ora, ele tem uma tentativa; prefere revogar o conhecimento do bem e do mal; (a expressão "pecado original" tem origem nesse medo) mas o que aconteceu não pode ser suprimido, apenas turvado. É com esse objetivo que as motivações vêm à tona; com efeito, todo mundo visível talvez não seja outra coisa senão uma motivação do ser humano para sua vontade de descansar um momento. Uma tentativa de falsear o fato do conhecimento, para só então transformá-lo em objetivo a ser atingido.

87

Uma fé como uma guilhotina, tão pesada e tão leve.

88-89

A morte está diante de nós, pouco mais ou menos como um quadro da batalha de Alexandre na parede da sala de aula. O que interessa é obscurecer ou até borrar, com nossos atos, ainda nesta vida, essa imagem.

90

Duas possibilidades: fazer-se infinitamente pequeno ou ser assim. A primeira é a perfeição; a segunda o início, a ação.

91

Para evitar um equívoco verbal: o que deve ser ativamente destruído precisa antes ter sido sustentado com firmeza total; o que desmorona, desmorona, mas não pode ser destruído.

92

A primeira adoração dos ídolos foi sem dúvida medo das coisas, mas relacionado com este o medo da necessidade das coisas e, relacionado com isso, o medo da responsabilidade por elas. Essa responsabilidade parecia tão gigantesca, que nem mesmo se ousou impô-la a um único ser humano, pois, pela mera mediação de um ser, a responsabilidade humana não teria sido aliviada o suficiente, o convívio com um ser apenas teria sido contaminado de uma maneira mais profunda ainda pela responsabilidade; por isso deu-se a cada coisa a responsabilidade por si mesma, mais: deu-se a essas coisas, também, uma medida da responsabilidade para o ser humano.

93

Pela última vez, psicologia!

94

Duas tarefas do início da vida: limitar seu círculo cada vez mais e verificar continuamente se você não está escondido em algum lugar fora do seu círculo.

95

O mal às vezes está na mão como um instrumento conhecido ou desconhecido, se alguém tem vontade de fazer isso, ele pode ser posto de lado sem oposição.

96

As alegrias desta vida não são as *dela*, mas o *nosso* medo de ascender a uma vida mais elevada; os tormentos desta vida não são os dela, mas o nosso autotormento por causa daquele medo.

97

Só aqui o sofrimento é sofrimento. Não como se aqueles que aqui sofrem devam ascender a outro lugar em função desse sofrimento, mas no sentido de que aquilo que neste mundo se chama sofrimento, em outro mundo, inalterado e tão somente libertado do seu oposto, é êxtase.

98

A ideia da extensão infinita e plenitude do cosmos é o resultado da mistura levada ao extremo da criação laboriosa e livre autorreflexão.

99

Tão mais opressiva que a convicção implacável de nosso presente estado pecaminoso é até a mais frágil convicção da antiga, eterna justificação de nossa existência temporal. Só a capacidade de suportar desta segunda convicção, que em sua pureza abrange completamente a primeira, é a medida da fé.

Muitos consideram que, ao lado da grande fraude primitiva, existe em cada caso particular uma pequena fraude especial encenada em proveito próprio, do mesmo modo, por exemplo, numa intriga amorosa, representada no palco, a atriz, além do falso sorriso para o seu amante, tem ainda outro, particularmente pérfido, dirigido ao espectador bem definido na última fileira da galeria. Isso significa ir longe demais.

100

Pode haver um conhecimento do que é diabólico, mas nenhuma fé nele, pois mais diabólico do que está aí presente, não existe.

101

O pecado sempre chega abertamente e pode ser captado logo pelos sentidos. Ele vai às raízes destes e não precisa ser arrancado.

102

Todos os sofrimentos ao nosso redor nós também temos de sofrer. Temos todos não um corpo, mas um estilo de crescer, o que nos faz atravessar todas as dores, seja nesta ou naquela forma. Assim como a criança evolui por todos os estágios da vida até a velhice e a morte (e cada estágio no fundo parece inalcançável ao anterior, na exigência ou no medo), do mesmo modo evoluímos (ligados não menos profundamente à humanidade do que a nós mesmos) por meio de todas as dores deste mundo. Nesse contexto, não existe lugar para a justiça, nem também para o medo da dor ou para a interpretação do sofrimento como um mérito.

103

Você pode se conter diante dos sofrimentos do mundo — é algo que tem liberdade de fazer e corresponde à sua natureza, mas talvez seja esse autocontrole o único sofrimento que você poderia evitar.

104

O ser humano tem livre-arbítrio, na realidade de três espécies:

Primeiro, livre quando quis esta vida; agora, seja como for, já não pode revogá-la, pois não é mais aquele que antes a quis; seria livre, portanto, enquanto realiza a antiga vontade ao viver.

Segundo, ele é livre na medida em que pode escolher o modo de andar e o caminho desta vida.

Terceiro, é livre enquanto for aquele que outra vez será o que tem vontade de ir pela vida sob qualquer condição, para deixar que ela venha até você; na verdade por um caminho passível de escolha, mas de qualquer maneira tão labiríntico que não deixa intocado qualquer pedacinho desta vida.

São estas as três espécies de livre-arbítrio, mas ele é também — uma vez que são coisas simultâneas —, no fundo, de uma só espécie, tanto que não há espaço para a vontade, seja ela livre ou sem liberdade.

105

O meio de sedução deste mundo, bem como o signo de garantia de que ele é apenas uma transição, é uma e a mesma coisa. Com razão, pois só assim este mundo pode nos seduzir de uma forma que corresponda à verdade. O pior, no entanto, é que depois da sedução bem-sucedida, nós nos esquecemos da garantia; foi dessa maneira, na realidade, que o bem nos atraiu para o mal, e o olhar da mulher, para a sua cama.

106

A humildade oferece a todos, mesmo ao que se desespera na solidão, a relação mais forte com o semelhante, na realidade imediatamente, mas, com certeza, só no caso da humildade completa e duradoura. Ela é capaz disso por ser a verdadeira linguagem da oração e a mais sólida das ligações. A relação com o semelhante é a relação da prece; a relação consigo mesmo, a relação do esforço para alcançar algo; a energia para esse esforço é extraída da oração.

Você pode conhecer outra coisa que não seja a fraude? Fosse ela um dia obstruída, você de modo algum poderia olhar para lá se não quisesse virar uma coluna de sal.

107

Todos são muito amáveis com A., como quando se procura proteger cuidadosamente uma excelente mesa de bilhar, mesmo de bons jogadores — pelo menos até o momento em que chega o grande jogador, examina com precisão a superfície, não tolera nenhum erro precipitado, mas depois, quando ele próprio começa a jogar, tem o mais brutal acesso de fúria.

108

"Mas depois ele voltou ao trabalho como se nada tivesse acontecido." Essa é uma observação que nos é familiar de uma profissão de velhas histórias, muito embora talvez não tenha acontecido em nenhuma delas.

109

"Não se pode dizer que estamos carentes de fé. O simples fato de nossa vida é, por si só, inesgotável em seu valor de fé."

"Seria isso um valor de fé? Não é possível não viver."

"Já nesse 'não é possível' reside a força insana da fé; é nessa negação que ela assume sua forma."

Não é necessário que você saia de casa. Fique junto à sua mesa e escute. Nem mesmo escute, só espere. Nem mesmo espere, totalmente em silêncio e sozinho. O mundo irá oferecer-se a você para o próprio desmascaramento, não pode fazer outra coisa, extasiado ele irá contorcer-se a seus pés.

A metamorfose

A metamorfose*

A metamorfose foi escrita no outono de 1912, quando Kafka tinha 29 anos de idade, e só foi publicada em novembro de 1915. É uma das poucas coisas que ele publicou em vida e talvez isso tenha contribuído para que a estranha história do homem metamorfoseado em inseto se transformasse numa das principais marcas registradas da ficção kafkiana. Mas o seu extraordinário poder de atração — e de repulsão — não se limita a esse acidente de ordem bibliográfica. O fascínio se deve antes ao efeito de choque, que desde a primeira frase a novela provoca na mente do leitor. Pois já nas primeiras linhas do texto se manifesta a colisão entre a linguagem tipicamente cartorial, de protocolo, e o pressuposto inverossímil da coisa narrada. O espanto do leitor, aliás, é confirmado pelo número crescente de análises e interpretações de *A metamorfose*: basta referir que uma bibliografia não muito recente sobre Kafka registra nada menos que 128 títulos dedicados exclusivamente à exegese dessa novela. As análises vão desde as de natureza teológica e sociológica até as históricas e estilísticas, passando pelas filosóficas (principalmente

* Conferência pronunciada na Sociedade Brasileira de Psicanálise de São Paulo em 1983, por ocasião do centenário de nascimento de Franz Kafka.

existencialistas) e por outras que se podem considerar psicanalíticas de destinação biográfica.

Seria impossível, aqui, dar uma visão (mesmo panorâmica) desses trabalhos, todos eles seguramente empenhados na coerência interna dos seus termos e no esforço para extrair da obra o maior volume possível de significado. Mas de maneira geral essas interpretações esbarram na dificuldade material de explicar a circunstância embaraçosa — e no entanto decisiva — da transformação do herói em inseto. Isso porque a metamorfose de Gregor Samsa, que é o acontecimento determinante da história, não admite, do modo peculiar como ela se impõe à leitura, ser captada linearmente, seja como alegoria acessível a todos, seja como alegoria particular de Kafka, seja como símbolo veiculado pela tradição. Sendo assim, resta ao leitor o desconforto de se deparar com uma narração translúcida, mas cujo ponto de partida permanece opaco.

Noutras palavras, a novela deslancha a partir de um dado fundamental para a economia do texto sem que seu sentido seja claramente formulado pelo autor. Acresce que as causas da metamorfose em inseto são um enigma não só para quem lê como também para o próprio herói. Tanto é assim que, já no segundo parágrafo, depois de ter feito uma rápida inspeção na parte visível do seu corpo — onde sobressaem as saliências do ventre marrom e a fragilidade das inúmeras perninhas que se mexem —, Gregor Samsa pergunta: "O que aconteceu comigo?". E o narrador acrescenta, de forma suficientemente categórica para não alimentar falsas esperanças em ninguém: "Não era um sonho".

Dito de outro modo, a metamorfose em inseto é postulada pela novela como algo definitivo: ela não é um pesadelo do qual se pudesse acordar. Pelo contrário, no registro costumeiro das inversões kafkianas, é o próprio metamorfoseado quem desperta para esse pesadelo. Portanto, a metamorfose não está aí como um disparate, mas como uma licença poética transformada *em fato* — com o qual, aliás, tanto o herói como o leitor têm que se conformar. Nesse sentido, o narrador não procura nem esclarecer nem ironizar a metamorfose, limitando-se (digamos assim) a constatá-la com a maior cara de pau. Para ele, ela tem o caráter impositivo de um sucesso natural contra o qual não há como protestar. Mesmo a comparação com uma catástrofe natural só tem valor relativo, porque esta de alguma maneira se encaixa num contexto inteligível do mundo. Isto é: mesmo quando a catástrofe natural ocorre de modo irregular, não previsto, pode-se indagar sem constrangimentos pelas suas origens. A metamorfose de um único homem num inseto monstruoso é, nessa direção, algo incomparável, é um caso singular — ainda que se conceda que uma transfiguração similar pudesse acontecer a outra pessoa. Por sinal, essa possibilidade é aventada pelo próprio Gregor em relação ao gerente da firma que o vem buscar em casa. "Gregor procurou imaginar se não poderia acontecer ao gerente algo semelhante ao que hoje se passara com ele: sem dúvida era preciso admitir essa possibilidade."

Pondo de lado a malícia narrativa que nesse trecho procura neutralizar, com uma naturalidade sinistra, a metamorfose antinatural da figura central em inseto, o fato é que a novela não pretende torná-la nem imediatamente acessível ao entendimento nem muito menos universal. Ao contrário, é visível que o narrador se esforça o tempo todo — e com uma agilidade admirável — para que o leitor acabe se esquecendo até do caráter ilusionista da própria ficção, compensando o abalo inicial da história com a notação minuciosa e quase naturalista dos seus desdobramentos.

Entretanto é evidente que o tema da metamorfose não é novo em literatura: os mitos clássicos e as fábulas, as narrativas dos povos primitivos e os contos de fadas são ricos em acontecimentos como esse. Mas nenhum leitor esclarecido fica perturbado com eles, não só porque essas metamorfoses em geral são reversíveis como também porque podem ser logo percebidas como manifestações de um estágio de consciência ingênuo, pré-científico, que exime o leitor de julgá-las segundo os padrões da sua própria experiência. Assim é que aceitamos que Circe, na *Odisseia*, metamorfoseie os companheiros de Ulisses em porcos, ou que, num conto de Grimm, o filho do rei vire sapo até que uma princesa o devolva à sua condição natural — justamente porque nesses casos vigora o princípio da diferença entre o mundo empírico conhecido e o mundo mágico, fantástico ou irônico da poesia, o que nos coloca na postura certa enquanto leitores. É esse princípio que parece faltar em *A metamorfose*, e talvez seja por isso que dela se desprende uma sensação extraordinariamente perturbadora e penosa que nos põe em atitude de defesa.

É claro que para essa impressão penosa contribui também um recurso técnico eficaz, que é o foco narrativo escolhido por Kafka. Sua peculiaridade consiste no fato de que não é o inseto-personagem quem conta a história, não obstante ela seja narrada da perspectiva do herói. Essa manobra é possível, aqui, graças à existência de um narrador desprovido de qualquer marca pessoal que o autorizasse, por exemplo, a fazer reflexões ou comentários esclarecedores sobre a história que está relatando. Em outros termos, esse narrador se comporta como uma câmera cinematográfica na cabeça do protagonista — e nesse caso o relato objetivo, através do discurso direto e indireto, se entrelaça com a proximidade daquilo que é experimentado subjetivamente pelo herói. É por esse motivo que, na descrição dos acontecimentos que evoluem no seio da família Samsa, a narração não avança muito mais do que Gregor poderia fazer a partir de um ponto de vista rigorosamente pessoal. Na verdade, só no final, quando Gregor está morto e se focalizam os movimentos da família, é que essa perspectiva muda de lugar — e aqui se coloca o problema de uma possível quebra de unidade no modo de narrar privilegiado por Kafka.

Vou me deter um instante nessa questão do narrador kafkiano. Na realidade, o narrador inventado por Kafka tem muito pouco a ver com o narrador do romance ou da novela tradicional, que como sabemos se caracteriza sobretudo pela onisciência. Isso quer dizer que o narrador tradicional, pré-kafkiano, não só tem acesso imediato à intimidade mais profunda dos seus personagens como também dispõe de uma visão panorâmica do conjunto da história que está narrando — embora ele se comporte como se estivesse contando essa história sem ter conhecimento prévio de seus desdobramentos ou do seu desfecho. Assim, no *D. Quixote* o narrador sabe, a respeito do seu herói, muito mais coisas do que este sabe a seu próprio respeito. É nesse sentido que Quixote, o personagem, ignora que está confundindo a fantasia com a realidade, e por isso toma moinhos de vento por gigantes que segundo ele é preciso combater pelas regras da cavalaria andante; ao passo que o narrador de Cervantes circunscreve rigorosamente as maluquices do herói, tornando-as compreensíveis, cômicas e tranquilizadoras mediante comentários que estabelecem a necessária distância estética entre a consciência perturbada do protagonista e a armação geral daquilo que está sendo narrado. Numa avaliação histórica muito sumária dessa circunstância estética, é possível identificar, no narrador onisciente, um estado do mundo em que a situação do indivíduo estava garantida pela possibilidade de torná-la inteligível numa totalidade social transparente. Pois bem, em Kafka a única coisa transparente que ainda resta é a linguagem, que por sinal é uma linguagem ironicamente conservadora. Mas mesmo a linguagem transparente de Kafka só dá acesso a um contexto de visões parceladas, a um universo fraturado e sem certezas, ou seja: a um mundo tornado opaco e impenetrável onde, por consequência, a manutenção de um narrador que soubesse de tudo soaria como uma falsificação dos seus próprios pressupostos. Nesse sentido, é por uma questão de coerência formal que o narrador kafkiano, embora fale pelo personagem, só mostra estar sabendo aquilo que ele realmente sabe, ou seja: nada ou quase nada. Isso explica por que na obra de Kafka, principalmente em seus três romances, o narrador não onisciente relata com a maior clareza histórias marcadas pela mais profunda ambiguidade. E é nesse passo que o leitor se descobre tão impotente quanto o herói para perceber com discernimento, e não apenas parceladamente, as coordenadas reais do mundo-fragmento em que ambos tateiam. No entanto, é justamente essa estratégia artística que articula, no plano da construção formal, a consciência alienada do homem moderno, constrangido a percorrer às cegas os caminhos de uma sociedade administrada de alto a baixo, onde os homens estão concretamente separados não só uns dos outros como também de si mesmos.

Seja como for, no caso de *A metamorfose*, não sendo o herói que narra em nome do *eu*, mas um narrador impessoal que se refere ao herói por meio do pronome *ele*, a consequência é que os acontecimentos não podem ser considerados alucinações do protagonista, visto que a existência deles, no plano da realidade estabelecida pelo texto, está objetivada e "aprovada": quem se responsabiliza por eles é o narrador. Além disso, a desqualificação da tese da alucinação do herói é reforçada pela atitude geral dos demais personagens, cujo olhar comprova a todo instante que se trata efetivamente de um inseto, e não de um homem chamado Gregor. Por outro lado, a não identidade de herói e narrador justifica, em larga medida, a compostura verbal da obra, pois essa linguagem desapaixonada e segura certamente seria inadequada se partisse diretamente de um *eu* que estivesse na situação angustiante do protagonista, que, como diz Anatol Rosenfeld, é a clássica situação kafkiana da barata tonta. Sendo assim, a atitude defensiva do leitor diante da novela parece derivar não só do tema, que é de fato opressivo, como também do modo de narrar. Pois uma vez que o foco narrativo está instalado na intimidade do herói, o leitor perde a garantia da distância estética, como no caso do *D. Quixote*, e se vê constantemente submetido ao perigo de se identificar com o inseto e as suas desventuras.

Como já dissemos, essas desventuras são introduzidas com efeito de choque pela abertura, que sem dúvida alguma se pode considerar uma das mais drásticas da história da literatura. Pois, apesar de estar falando de algo empiricamente inaceitável, ela não recorre à magia tranquilizadora do "era uma vez", característico do conto da carochinha (com o qual, aliás, Kafka aprendeu muito); pelo contrário, a fleugma e a sem-cerimônia com que esse "era uma vez" é substituído por algo que simplesmente "é" valem por uma pancada na cabeça do leitor.

Mas essa abertura não é, a rigor, fantástica, visto que nela não é apresentado um segundo mundo sujeito a outras leis, ou então um mundo sem leis que colidisse com o nosso, sujeito à causalidade. Tanto é assim que o narrador, depois de despachar a metamorfose de Gregor como fato consumado, passa a descrever com uma precisão exasperante o quarto do protagonista, com as suas paredes familiares, a mesa com a coleção de amostras de tecidos e o recorte de revista emoldurado mostrando uma mulher coberta de peles. Essa justaposição direta, sem mediações — mas também sem conflitos —, entre esferas normalmente incompatíveis é que torna a "catástrofe" de Gregor um acontecimento grotesco. (Vale a pena lembrar que o termo "grotesco" vem do italiano "*grotta*" e designa, originariamente, ornamentos da Antiguidade encontrados em grutas e caracterizados pela mistura dos mundos humano, animal e vegetal. De um modo genérico, o grotesco reflete esse coquetel de esferas, que provoca em nós um efeito de estranhamento manifestado pelo arrepio ou pelo riso amarelo.)

Trata-se aqui, no entanto, de um grotesco *frio*, porque esse escândalo, nos quadros da contenção kafkiana, não tem nada de alarmante, o que torna a leitura, por sua vez, um verdadeiro terror. Formulado de outro jeito, prevalece aqui o que Günter Anders chamou de "explosão negativa", que "consiste em não fazer soar sequer um *pianissimo* onde cabe esperar um *fortissimo*". Ou seja, a despeito do impacto que sofreu, o mundo conserva inalterada a intensidade do som. Se é que o humor negro — ou *Galgenhumor* (humor patibular) — das narrativas de Kafka tem uma explicação, então é essa.

Voltando à metamorfose, é manifesto que no mundo humano sensato, principalmente no da briosa classe média, ela não pode nem deve acontecer. Mas como aqui ela aconteceu, é compreensível que o fato seja vergonhoso para a família — uma mancha tenebrosa que precisa ser ocultada. Assim é que tanto o senhor e a senhora Samsa (os pais) como Grete (a irmã) se veem na contingência de incorporar esse acidente horroroso ao seu dia a dia, o que aponta, pelo esquivo viés kafkiano, para a noção de que o horroroso é simultaneamente cotidiano e familiar. Na verdade, porém, a despeito dos esforços da família em sentido contrário, a presença do Gregor inseto não pode ser pura e simplesmente abolida, conservando, em vez disso, uma gritante efetividade, que mina por dentro a vida da família. É como se o inseto, apesar de encarcerado no seu quarto, fosse sentido o tempo todo em cada canto da casa. No final, aliás, a irmã diz isso com todas as letras, quando exclama: "Esse bicho nos persegue, expulsa os inquilinos, quer ocupar a casa inteira e fazer-nos dormir na rua". Não é preciso dizer que nessa fala se consuma, de maneira cristalina, uma outra metamorfose — a metamorfose da família.

Talvez fosse possível entender a metamorfose do homem em animal como uma perda de identidade. Mas justamente aqui não parece ser esse o caso. Pois por mais que o herói não apareça mais para o pai, a mãe e a irmã como o antigo e estimado filho e irmão, é sintomático que se faça menção textual ao "*estado atual de Gregor*". Isso quer dizer que, nos termos da novela, ele continua sendo o mesmo, embora de modo deformado e excluído da comunicação habitual. Só bem no fim da história é que a irmã exige que aquela "coisa" nojenta seja afastada do lar dos Samsa. Ela diz então ao pai, que nesse ínterim ficou muito mais brando do que o Júpiter tonitruante das bengaladas e do bombardeio de maçãs dos dois primeiros capítulos: "Você precisa livrar-se da ideia de que 'isso' seja Gregor. Nossa infelicidade é justamente termos até agora acreditado nisso".

A essa altura Gregor deixa de ser tratado como "ele" (*er*) para ser rebaixado a um simples "isso" (*es*). Para o narrador e para o herói, porém, a identidade permanece. Isto é: a metamorfose em inseto representa de fato a perda da voz que comunica, a mudança dos gostos alimentares, dos movimentos reativos e da maneira de lidar com o espaço, ou seja: no nível da aparência, ela atesta uma redução ao estágio puramente animal de organização da vida. Mas o relato objetivo comprova que a consciência do metamorfoseado continua sendo humana, inteiramente apta a captar e compreender o que sucede no meio ambiente — muito embora, pela mão contrária, ninguém nesse meio possa admitir que o inseto seja capaz disso. Dito de outra forma, Gregor está realmente transformado num bicho, mas não deixa nunca de ser Gregor. Ou seja: ele se comporta como um homem que ainda existe, mas que já não pode ser visto como sendo ele mesmo, e nessa medida é empurrado para o isolamento e a solidão (para acabar na exclusão). O fato explica que aos poucos a incomunicabilidade se firme como um dos temas centrais da novela. A prova é que a história mobiliza, nos seus três capítulos, um mesmo padrão narrativo, que é o das iniciativas inúteis de contato do herói com os membros da família, e vice-versa. Os índices dessa incomunicabilidade são tantos que levaria tempo enumerá-los. Mas a título de exemplo vale a pena recordar a cena em que a mãe e a irmã decidem retirar os móveis do quarto, supostamente para deixar-lhe mais espaço livre, fato que no entanto o põe desesperado e disposto a saltar no rosto da irmã para salvaguardar um dos seus objetos mais queridos, que é o quadro na parede.

A novela termina, afinal, com a morte do protagonista — o que, tanto para os pais como para a irmã, significa a libertação de um trambolho, que merece, inclusive, ser comemorada com um passeio ao campo. Como dissemos antes, é a partir desse momento que o foco narrativo muda de lugar e insinua uma possível quebra de unidade na perspectiva escolhida por Kafka. Pois se até então o centro de orientação da narrativa estava preso à perspectiva de Gregor, como se justifica, em termos formais, que a história continue depois do seu desaparecimento de cena? Talvez tenha sido esse um dos motivos que levaram o próprio Kafka a afirmar, no seu diário, que considerava o fim de *A metamorfose* ilegível. No entanto talvez seja viável defender o final da novela contra o desagrado do próprio autor, lembrando que ele marca não uma quebra da unidade narrativa, mas, ao contrário, um momento excepcional de encaixe de forma no conteúdo. Veja-se que é justamente no momento em que a família se livra da existência intolerável do inseto que o narrador também se emancipa dele, passando a contar a história de uma perspectiva que já não é a do próprio Gregor.

De toda maneira, porém, esse desfecho não oferece nada de muito surpreendente para o leitor — o que sem dúvida estava nos cálculos de Kafka. Pois a tensão e o suspense da coisa narrada não residem num desenlace que o leitor pudesse esperar com a ansiedade de quem vai resolver um quebra-cabeça. Antes, a narrativa mantém-nos presos por meio do jogo de contrastes tragicômicos entre as aproximações de Gregor em relação à família e as avaliações sempre equivocadas dos seus familiares. Essa malícia do enredo remete, por seu turno, ao miolo da composição e ao toque estilístico inconfundível de Kafka, que é a já mencionada técnica de inversão. Isso fica claro quando se tem em mente que uma das coisas que melhor caracterizam a forma dessa novela é o fato de nela estar invertida a construção narrativa tradicional, uma vez que ela puxa do fim para o começo o clímax, que é a metamorfose. Ou seja: aqui a coisa narrada não caminha para o auge, ela se inicia com ele — e com isso a novela se sustenta mais sobre as decorrências de um fato fundamental do que numa progressão rumo a ele (de maneira semelhante, aliás, ao que acontece no *Édipo Rei* de Sófocles).

No entanto expressões literais como "o estado atual de Gregor" sugerem que a metamorfose do herói pode ser entendida como o resultado de um processo, ou seja, como um momento definido que teria sido precedido por outros que ficaram *aquém* da narrativa e que por isso não foram tematizados por ela. Tanto isso é assim que o herói, no percurso da obra, reconstrói (à maneira de Édipo...) lances anteriores da sua vida, onde repontam não só as queixas contra a profissão desumana de caixeiro-viajante, como também projetos generosos (por exemplo, financiar o estudo de música da irmã) e detalhes importantes sobre a sua posição familiar. Desse modo ficamos sabendo, por meio de indiscrições feitas em tom inocente, que até então Gregor tinha sido arrimo de família, sustentando os seus membros com o sacrifício pessoal do seu trabalho e saldando as dívidas deixadas cinco anos antes pelo pai falido. Por sinal, este havia guardado um bom pecúlio, sem que Gregor tivesse notícia disso (ele só toma conhecimento do fato quando ouve, encerrado no seu quarto, mas com a porta entreaberta, os serões familiares) — o que sem dúvida insinua uma rasteira do pai em relação ao filho, pois a conclusão mais óbvia é que Gregor estava se esfalfando mais que o necessário na firma onde era viajante e cujo diretor é o credor do pai. Esses pormenores soltos, uma vez amarrados — coisa que o herói não faz, mas que Édipo fez —, eletrizam, por assim dizer, o conjunto da história, a ponto de encaminhar uma explicação para o seu nó górdio, que é a metamorfose. As consequências imediatas desta são: 1) retirar da família a base econômica do seu sustento (evidentemente fundado na exploração do trabalho do filho) e 2) libertar Gregor da sua condição de escravo assumido. Vistas as coisas por esse ângulo, é admissível supor que o inseto Gregor é inútil porque já não produz, só consome; ao mesmo tempo que Gregor, o inseto, é a forma sensível de uma libertação. Se essa conjectura for pertinente, o que então se percebe é mais uma vez a vigência do princípio de inversão em que Kafka é um mestre; pois se antes a família vivia parasitariamente às custas do trabalho de Gregor e da sua alienação no mundo dos negócios (que contrasta, na novela, com a utopia do "mundo da música"), ele agora é, aos olhos da família "deserdada" pela sua metamorfose, apenas um inseto parasita.

A esta altura é necessário fazer um parêntese e recordar que Kafka construiu várias das suas histórias tomando ao pé da letra metáforas fossilizadas da linguagem corrente — como, por exemplo, "sofrer na própria pele", da qual ele partiu para escrever a novela *Na colônia penal*, em que o estilete de uma máquina diabólica grava nas costas do réu a sentença a que ele foi condenado.

No caso de *A metamorfose* é possível pensar que a metáfora subjacente tenha sido uma expressão como *Luftmensch* (literalmente: "homem aéreo"), com a qual Günther Anders, por exemplo, designa o cidadão sem ocupação definida ou desligado do processo material da produção, e que por isso mesmo "esvoaça" no contexto social.

Na realidade, parece ser mais interessante recorrer ao modo peculiar de construção da obra — que, como vimos, coloca o clímax no começo — e nesse passo examinar melhor a frase de abertura. Todos a conhecem, mas não custa nada repeti-la: "Quando certa manhã Gregor Samsa acordou de sonhos intranquilos, encontrou-se em sua cama metamorfoseado num inseto monstruoso". Essa tradução é horizontal e "correta", mas perde alguns dos ingredientes básicos do original — como, por exemplo, a reiteração de três negações pelo prefixo alemão *un* (*unruhig*, *ungeheuer*, *Ungeziefer*), as quais, de certo modo, prefiguram o clima ruim da novela, que, na tirada de Roberto Schwarz, é uma história que começa mal e termina pior ainda. Mas a tradução não perde só isso como também certas ressonâncias relevantes de sentido contidas na expressão *ungeheueres Ungeziefer* (inseto monstruoso). É pouco provável que ela tenha sido colocada nesse lugar crucial por obra do acaso, uma vez que Kafka, além de calibrar cada vocábulo na redação de uma sentença, era etimologista amador e, nessa qualidade, conhecia os segredos conceituais escondidos no bojo das palavras.

Para o que agora nos interessa, o adjetivo *ungeheuer* (que significa "monstruoso" e como substantivo — *das Ungeheuer* — significa "monstro") quer dizer, etimologicamente, "aquilo que não é mais familiar, aquilo que está fora da família, *infamiliaris*", e se opõe a *geheuer*, isto é, aquilo que é manso, amistoso, conhecido, familiar. Por sua vez, o substantivo *Ungeziefer* (inseto), ao qual *ungeheuer* se liga, tem o sentido original pagão de "animal inadequado ou que não se presta ao sacrifício", mas o conceito foi se estreitando e passou a designar animais nocivos, principalmente *insetos*, em oposição a animais domésticos como cabras, carneiros etc. (*Geziefer*).

Esses dados são significativos na medida em que o seu

conjunto oferece a mediação da própria matriz verbal do texto para sustentar a sugestão referida atrás, de que a metamorfose de Gregor representa uma conversão do parasitado da família ao suposto parasita dela, ou seja: a passagem daquele que se sacrifica para aquele que já não pode ser sacrificado, do adequado para o inadequado, do idêntico para o diferente, do reconhecido para o que perdeu o reconhecimento, do familiar para o não familiar, do "ele" para o "isso", do manso para o monstro, do Gregor-homem para o Gregor-inseto.

Reconhecido esse roteiro, que recupera o nível arqueológico da linguagem — o que não desmente, antes confirma, os desígnios artísticos de Kafka —, fica certamente mais fácil achar que *A metamorfose* deve ser lida em primeira linha (e a partir da primeira linha) não como uma novela fantástica, mas como uma trágica história de família. Pois, esquivando-se à inconsequência da mera diversão, ela condensa, em algumas imagens inesquecíveis, que já fazem parte da literatura universal, o que mais tarde Adorno (1977) exprimiu numa frase lapidar: "A origem social do indivíduo (a família) revela-se no final como a força que o aniquila".

REFERÊNCIAS BIBLIOGRÁFICAS

ADORNO, Theodor. *Prismen*. Munique, DTV, 1977.

ANDERS, Günther. *Kafka: pró & contra*. Trad. de Modesto Carone São Paulo, CosacNaify, 2007.

Etymologie-Herkunftswörterbuch der deutschen Sprache. Mannheim, Duden, 1963. (*Der Grosse Duden*, vol. 7.)

KAFKA, Franz. *A metamorfose*. Trad. de Modesto Carone. São Paulo, Companhia das Letras, 1997.

——. *Sämtliche Erzählungen*. Frankfurt, Fischer, 1969.

ROSENFELD, Anatol. *Texto/Contexto*. São Paulo, Perspectiva, 1969.

SCHLINGMANN, Carsten. Die Verwandlung. In: *Interpretationen zu Franz Kafka*. Munique, R. Oldenbourg, 1969, pp. 81-105.
SCHWARZ, Roberto. *A sereia e o desconfiado*. Rio de Janeiro, Paz e Terra, 1981.
WIESE, Benno von. *Die deutsche Novelle*. Düsseldorf, August Bagel Verlag, 1959.

I

Quando certa manhã Gregor Samsa acordou de sonhos intranquilos, encontrou-se em sua cama metamorfoseado num inseto monstruoso. Estava deitado sobre suas costas duras como couraça e, ao levantar um pouco a cabeça, viu seu ventre abaulado, marrom, dividido por nervuras arqueadas, no topo do qual a coberta, prestes a deslizar de vez, ainda mal se sustinha. Suas numerosas pernas, lastimavelmente finas em comparação com o volume do resto do corpo, tremulavam desamparadas diante dos seus olhos.

— O que aconteceu comigo? — pensou.

Não era um sonho. Seu quarto, um autêntico quarto humano, só que um pouco pequeno demais, permanecia calmo entre as quatro paredes bem conhecidas. Sobre a mesa, na qual se espalhava, desempacotado, um mostruário de tecidos — Samsa era caixeiro-viajante —, pendia a imagem que ele havia recortado fazia pouco tempo de uma revista ilustrada e colocado numa bela moldura dourada. Representava uma dama de chapéu de pele e boá de pele que, sentada em posição ereta, erguia ao encontro do espectador um pesado regalo também de pele, no qual desaparecia todo o seu antebraço.

O olhar de Gregor dirigiu-se então para a janela e o tempo turvo — ouviam-se gotas de chuva batendo no zinco do parapeito — deixou-o inteiramente melancólico.

— Que tal se eu continuasse dormindo mais um pouco e esquecesse todas essas tolices? — pensou, mas isso era completamente irrealizável, pois estava habituado a dormir do lado direito e no seu estado atual não conseguia se colocar nessa posição. Qualquer que fosse a força com que se jogava para o lado direito, balançava sempre de volta à postura de costas. Tentou isso umas cem vezes, fechando os olhos para não ter de enxergar as pernas desordenadamente agitadas, e só desistiu quando começou a sentir do lado uma dor ainda nunca experimentada, leve e surda.

— Ah, meu Deus! — pensou. — Que profissão cansativa eu escolhi. Entra dia, sai dia — viajando. A excitação comercial é muito maior que na própria sede da firma e além disso me é imposta essa canseira de viajar, a preocupação com a troca de trens, as refeições irregulares e ruins, um convívio humano que muda sempre, jamais perdura, nunca se torna caloroso. O diabo carregue tudo isso!

Sentiu uma leve coceira na parte de cima do ventre; deslocou-se devagar sobre as costas até mais perto da guarda da cama para poder levantar melhor a cabeça; encontrou o lugar onde estava coçando, ocupado por uma porção de pontinhos brancos que não soube avaliar; quis apalpá-lo com uma perna, mas imediatamente a retirou, pois ao contato acometeram-no calafrios.

Deslizou de volta à antiga posição.

— Acordar cedo assim deixa a pessoa completamente embotada — pensou. — O ser humano precisa ter o seu sono. Outros caixeiros-viajantes vivem como mulheres de harém. Por exemplo, quando volto no meio da tarde ao hotel para transcrever as encomendas obtidas, esses senhores ainda estão sentados para o café da manhã. Tentasse eu fazer isso com o chefe que tenho: voaria no ato para a rua. Aliás, quem sabe não seria muito bom para mim? Se não me contivesse, por causa dos meus pais, teria pedido demissão há muito tempo; teria me postado diante do chefe e dito o que penso do fundo do coração. Ele iria cair da sua banca! Também, é estranho o modo como toma assento nela e fala de cima para baixo com o funcionário — que além do mais precisa se aproximar bastante por causa da surdez do chefe. Bem, ainda não renunciei por completo à esperança: assim que juntar o dinheiro para lhe pagar a dívida dos meus pais — deve demorar ainda de cinco a seis anos — vou fazer isso sem falta. Chegará então a vez da grande ruptura. Por enquanto, porém, tenho de me levantar, pois meu trem parte às cinco.

E olhou para o despertador que fazia tique-taque sobre o armário.

— Pai do céu! — pensou. Eram seis e meia e os ponteiros avançavam calmamente, passava até da meia hora, já se aproximava de um quarto. Será que o despertador não havia tocado? Via-se da cama que ele estava ajustado certo para quatro horas: seguramente o alarme tinha soado. Sim — mas era possível continuar dormindo tranquilo com esse toque de abalar a mobília? Bem, com tranquilidade ele não havia dormido, mas é provável que por causa disso o sono tenha sido mais profundo. E agora, o que deveria fazer? O próximo trem partia às sete horas; para alcançá-lo precisaria se apressar como louco, o mostruário ainda não estava na mala e ele próprio não se sentia de modo algum particularmente disposto e ágil. E mesmo que pegasse o trem não podia evitar uma explosão do chefe, pois o contínuo da firma tinha aguardado junto ao trem das cinco e fazia muito tempo que havia comunicado sua falta. Era uma criatura do chefe, sem espinha dorsal nem discernimento. E se anunciasse que estava doente? Mas isso seria extremamente penoso e suspeito, pois durante os cinco anos de serviço Gregor ainda não tinha ficado doente uma única vez. Certamente o chefe viria com o médico do seguro de saúde, censuraria os pais por causa do filho preguiçoso e cercearia todas as objeções apoiado no médico, para quem só existem pessoas inteiramente sadias mas refratárias ao trabalho. E neste caso estaria tão errado assim? Com efeito, abstraindo-se uma sonolência realmente supérflua depois do longo sono, Gregor sentia-se muito bem e estava até mesmo com uma fome especialmente forte.

Enquanto refletia sobre tudo isso na maior pressa, sem poder se decidir a deixar a cama — o despertador acabava de dar um quarto para as sete —, bateram cautelosamente na porta junto à cabeceira da sua cama.

— Gregor — chamaram; era a mãe. — É um quarto para as sete. Você não queria partir?

Que voz suave! Gregor se assustou quando ouviu sua própria voz responder, era inconfundivelmente a voz antiga, mas nela se imiscuía, como se viesse de baixo, um pipilar irreprimível e doloroso, que só no primeiro momento mantinha literal a clareza das palavras, para destruí-las de tal forma quando acabavam de soar que a pessoa não sabia se havia escutado direito. Gregor quisera responder em minúcia e explicar tudo, mas nestas circunstâncias se limitou a dizer:

— Sim, sim, obrigado, mãe, já vou me levantar.

Com certeza por causa da porta de madeira não se podia notar lá fora a alteração na voz de Gregor, pois a mãe se tranquilizou com essa explicação e se afastou arrastando os chinelos. Mas a breve conversa chamou a atenção dos outros membros da família para o fato de que Gregor, contrariando as expectativas, ainda estava em casa — e já o pai batia, fraco mas com o punho, numa porta lateral.

— Gregor, Gregor — chamou. — O que está acontecendo?

E depois de um intervalo curto advertiu outra vez, com voz mais profunda:

— Gregor, Gregor!

Na outra porta lateral, entretanto, a irmã lamuriava baixinho:

— Gregor? Você não está bem? Precisa de alguma coisa?

Gregor respondeu para os dois lados:

— Já estou pronto — e através da pronúncia mais cuidadosa e da introdução de longas pausas entre as palavras se esforçou para retirar à sua voz tudo que chamasse a atenção.

O pai também voltou ao seu café da manhã, mas a irmã sussurrou:

— Gregor, abra, eu suplico.

Gregor entretanto não pensava absolutamente em abrir, louvando a precaução, adotada nas viagens, de conservar as portas trancadas durante a noite, mesmo em casa.

Queria primeiro levantar-se, calmo e sem perturbação, vestir-se e sobretudo tomar o café da manhã, e só depois pensar no resto, pois percebia muito bem que, na cama, não chegaria, com as suas reflexões, a uma conclusão sensata. Lembrou-se de já ter sentido, várias vezes, alguma dor ligeira na cama, provocada talvez pela posição desajeitada de deitar, mas que depois, ao ficar em pé, mostrava ser pura imaginação, e estava ansioso para ver como iriam gradativamente se dissipar as imagens do dia de hoje. Não duvidava nem um pouco de que a alteração da voz não era outra coisa senão o prenúncio de um severo resfriado, moléstia profissional do caixeiro-viajante.

Afastar a coberta foi muito simples: precisou apenas se inflar um pouco e ela caiu sozinha. Mas daí em diante as coisas ficaram difíceis, em particular porque ele era incomumente largo. Teria necessitado de braços e mãos para se erguer; em vez disso, porém, só tinha as numerosas perninhas que faziam sem cessar os movimentos mais diversos e que, além disso, ele não podia dominar. Se queria dobrar uma, ela era a primeira a se estender; se finalmente conseguia realizar o que queria com essa perna, então todas as outras, nesse ínterim, trabalhavam na mais intensa e dolorosa agitação, como se estivessem soltas.

— Não fique inutilmente aí na cama — disse Gregor a si mesmo.

A princípio quis sair da cama com a parte inferior do corpo; mas essa parte de baixo, que ele aliás ainda não tinha visto e da qual não podia fazer uma ideia exata, provou ser difícil demais de mover; ela ia tão devagar; e quando afinal, quase frenético, reunindo todas as suas forças e sem respeitar nada, se atirou para a frente, bateu com violência nos pés da cama, pois tinha escolhido a direção errada; a dor ardida que sentiu ensinou-lhe que justamente a parte inferior do seu corpo era no momento, talvez, a mais sensível de todas.

Tentou por isso tirar em primeiro lugar a parte superior do corpo, voltando com cautela a cabeça para a beira do leito. Conseguiu-o com facilidade: a despeito da sua largura e do seu peso, a massa do corpo acompanhou devagar, finalmente, a virada da cabeça. Mas quando por fim ele a susteve fora da cama, em pleno ar, ficou com medo de avançar mais dessa maneira, pois se enfim se deixasse cair, seria preciso acontecer um milagre para que a cabeça não se ferisse. E precisamente agora não podia, por preço algum, perder a consciência; preferia permanecer na cama.

Entretanto, quando mais uma vez, depois de esforço igual, ficou deitado na mesma posição, suspirando, e viu de novo suas perninhas lutarem umas contra as outras, possivelmente mais que antes, e não encontrou nenhuma possibilidade de imprimir calma e ordem àquele descontrole, disse novamente a si mesmo que era impossível continuar na cama e que o mais razoável seria sacrificar tudo, caso existisse a mínima esperança de com isso se livrar dela. Ao mesmo tempo, porém, não esqueceu de se lembrar, nos intervalos, de que decisões calmas, inclusive as mais calmas, são melhores que as desesperadas. Nesses instantes dirigia o olhar com a maior agudez possível à janela, mas infelizmente só era possível receber pouca confiança e estímulo da visão da névoa matutina que encobria até o outro lado da rua estreita.

— Sete horas já — disse a si mesmo quando o despertador bateu outra vez —, sete horas já e ainda essa neblina.

E por um momento permaneceu tranquilamente deitado, com a respiração fraca, como se esperasse talvez do silêncio pleno o retorno das coisas ao seu estado real e natural.

Mas depois disse consigo mesmo:

— Antes de soar sete e um quarto preciso de qualquer modo ter deixado completamente a cama. Mesmo porque até então virá alguém da firma perguntar por mim, pois ela abre antes de sete horas.

E pôs-se a balançar o corpo em toda a sua extensão, num ritmo perfeitamente uniforme, para tirá-lo da cama. Deixando-se cair desse modo, a cabeça — que ele queria conservar bem erguida durante a queda — presumivelmente ficaria ilesa. As costas pareciam ser duras; decerto não aconteceria nada a elas caindo no tapete. A maior dúvida vinha da preocupação com o estrondo que iria provocar e que provavelmente causaria, se não susto, pelo menos apreensão atrás de todas as portas. Mas isso era preciso arriscar.

Quando Gregor já estava pela metade fora da cama — o novo método era mais um jogo que um esforço, ele só tinha de se balançar empurrando o corpo — ocorreu-lhe como seria simples se alguém viesse ajudá-lo. Duas pessoas fortes — pensou no pai e na empregada — bastariam plenamente; precisariam apenas enfiar os braços debaixo de suas costas abauladas, destacando-o assim da cama, inclinar-se com o fardo e depois simplesmente permitir que ele efetuasse com cuidado a virada do corpo sobre o assoalho, onde então as perninhas, como era de se esperar, adquiririam um sentido. Bem, desconsiderando inteiramente que as portas estavam fechadas, deveria mesmo chamar por socorro? Apesar de toda a sua aflição, não pôde reprimir um sorriso a esse pensamento.

Já tinha alcançado um ponto em que, a um balanço mais forte, quase não poderia manter o equilíbrio, tendo então de se decidir de uma vez, pois em cinco minutos seriam sete e quinze — quando soou a campainha na porta do apartamento.

— É alguém da firma — disse a si mesmo e quase gelou, enquanto as perninhas dançavam mais rápidas por causa disso.

Durante um momento ficou tudo silencioso.

— Eles não vão abrir — disse Gregor consigo mesmo, preso a alguma esperança absurda.

Mas aí a empregada, natural como sempre, caminhou com passos firmes até a porta e abriu. Gregor só precisou ouvir a primeira palavra de saudação do visitante para saber quem era — o gerente em pessoa. Por que Gregor estava condenado a servir numa firma em que à mínima omissão se levantava logo a máxima suspeita? Será que todos os funcionários eram sem exceção vagabundos? Não havia, pois, entre eles nenhum homem leal e dedicado que, embora deixando de aproveitar algumas horas da manhã em prol da firma, tenha ficado louco de remorso e literalmente impossibilitado de abandonar a cama? Não bastava realmente mandar um aprendiz ir perguntar — se é que havia necessidade desse interrogatório? Tinha de vir o próprio gerente, era preciso mostrar com isso à família inteira — inocente — que a investigação desse caso suspeito só podia ser confiada à razão do gerente? E mais por causa da excitação a que foi levado por essas reflexões do que em consequência de uma decisão de verdade, Gregor se atirou com toda a força para fora da cama. Houve uma pancada alta, mas não propriamente um estrondo. A queda foi um pouco atenuada pelo tapete, mas as costas também eram mais elásticas do que Gregor havia pensado — daí o som surdo que não chamava tanto a atenção. Ele só não tinha sustentado a cabeça com cuidado suficiente e por isso havia batido com ela; de raiva e dor, virou-a e esfregou-a no tapete.

— Caiu alguma coisa lá dentro — disse o gerente no aposento vizinho da esquerda.

Gregor tentou imaginar se não podia acontecer também ao gerente algo semelhante ao que havia sucedido hoje com ele; de fato era necessário admitir essa possibilidade. Mas como se fosse uma rude resposta a essa pergunta, o gerente deu alguns passos definidos no quarto contíguo, fazendo suas botas de verniz rangerem. Do cômodo vizinho da direita a irmã sussurrou para comunicar a Gregor:

— Gregor, o gerente está aí.

— Eu sei — disse Gregor a si mesmo, mas não ousou erguer a voz a um ponto que a irmã pudesse ouvi-lo.

— Gregor — falou então o pai, do aposento à esquerda —, o senhor gerente chegou e quer saber por que você não partiu no trem de hoje cedo. Não sabemos o que devemos dizer a ele. Aliás, ele também quer falar pessoalmente com você. Faça portanto o favor de abrir a porta. Ele terá a bondade de desculpar a desarrumação do quarto.

— Bom dia, senhor Samsa — bradou em meio o gerente, num tom amigável.

— Ele não está bem — disse a mãe ao gerente quando o pai ainda falava junto à porta. — Ele não está bem, acredite em mim, senhor gerente. Senão como Gregor perderia um trem? Esse moço não tem outra coisa na cabeça a não ser a firma. Eu quase me irrito por ele nunca sair à noite; agora esteve oito dias na cidade, mas passou todas as noites em casa. Fica sentado à mesa conosco e lê em silêncio o jornal ou estuda horários de viagem. É uma distração para ele ocupar-se de trabalhos de carpintaria. Por exemplo, durante duas ou três noites entalhou uma pequena moldura; o senhor vai ficar admirado de ver como ela é bonita; está pendurada lá dentro do quarto; o senhor vai enxergá-la assim que ele abrir. Aliás, eu estou feliz, senhor gerente, pelo fato de o senhor estar aqui; sozinhos não iríamos conseguir que Gregor abrisse a porta; ele é tão teimoso; e certamente não está bem, embora tenha negado isso de manhã.

— Já vou — disse Gregor lenta e cautelosamente, e não se moveu para não perder uma palavra da conversa.

— De outro modo, cara senhora — disse o gerente —, também não sei como explicar isso. Esperemos que não seja nada grave. Embora por outro lado eu tenha de dizer que nós, homens do comércio, feliz ou infelizmente — como se quiser —, precisamos muitas vezes, por considerações de ordem comercial, simplesmente superar um ligeiro mal-estar.

— O senhor gerente pode, então, entrar no seu quarto? — perguntou o pai, impaciente, e bateu de novo na porta.

— Não — disse Gregor.

No cômodo vizinho da esquerda sobreveio um silêncio penoso, no aposento contíguo da direita a irmã começou a soluçar.

Por que a irmã não ia juntar-se aos demais? Certamente ela tinha acabado de se levantar da cama e ainda não havia começado a se vestir. Por que então chorava? Porque ele não se levantava e não deixava o gerente entrar, porque corria o perigo de perder o emprego e porque depois o chefe iria perseguir de novo os pais com as antigas exigências? Por enquanto, porém, essas preocupações eram desnecessárias. Gregor ainda estava aqui e não cogitava minimamente em abandonar sua família. É claro que, no momento, estava lá deitado no tapete, mas ninguém que conhecesse seu estado teria exigido seriamente dele que deixasse o gerente entrar. Mas por causa dessa pequena descortesia, para a qual se encontraria mais tarde, afinal, uma desculpa adequada, Gregor não podia ser demitido na hora. E a ele parecia muito mais razoável que o deixassem em paz agora do que perturbá-lo com choro e exortações. No entanto era justamente a incerteza que os afligia e desculpava o seu comportamento.

— Senhor Samsa — bradou então o gerente, elevando a voz —, o que está acontecendo? O senhor se entrincheira no seu quarto, responde somente sim ou não, causa preocupações sérias e desnecessárias aos seus pais e descura — para mencionar isso apenas de passagem — seus deveres funcionais de uma maneira realmente inaudita. Falo aqui em nome dos seus pais e do seu chefe e peço-lhe com toda a seriedade uma explicação imediata e clara. Estou perplexo, estou perplexo. Acreditava conhecê-lo como um homem calmo e sensato e agora o senhor parece querer de repente começar a ostentar estranhos caprichos. O chefe em verdade me insinuou esta manhã uma possível explicação para as suas omissões — ela dizia respeito aos pagamentos à vista que recentemente lhe foram confiados —, mas eu quase empenhei minha palavra de honra no sentido de que essa explicação não podia estar certa. Porém, vendo agora sua incompreensível obstinação, perco completamente a vontade de interceder o mínimo que seja pelo senhor. E o seu emprego não é de forma alguma o mais seguro. No começo eu tinha a intenção de lhe dizer tudo isso a sós, mas uma vez que o senhor me faz perder o meu tempo inutilmente aqui, não sei por que os senhores seus pais não devam ficar também sabendo. Nos últimos tempos seu rendimento tem sido muito insatisfatório; de fato não é época de fazer negócios excepcionais, isso nós reconhecemos; mas época para não fazer negócio algum não existe, senhor Samsa, não pode existir.

— Mas, senhor gerente — exclamou Gregor fora de si, esquecendo tudo o mais na excitação —, eu abro já, num instante. Um ligeiro mal-estar, um acesso de tontura, impediram-me de me levantar. Ainda estou deitado na cama. Mas agora me sinto novamente bem-disposto. Já estou saindo da cama. Só um instantezinho de paciência! As coisas ainda não vão tão bem como eu pensava. Mas já estou bem. Como é que uma coisa assim pode acometer um homem? Ainda ontem à noite estava tudo bem comigo, meus pais sabem disso, ou melhor: já ontem à noite eu tive um pequeno prenúncio. Eles deviam ter notado isso em mim. Por que não comuniquei à firma? Mas sempre se pensa que se vai superar a doença sem ficar em casa. Senhor gerente, poupe meus pais! Não há motivo para as censuras que agora o senhor me faz; também não me disseram uma palavra a esse respeito. Talvez o senhor não tenha lido os últimos pedidos que eu remeti. Aliás, ainda vou viajar com o trem das oito, as horas de repouso me fortaleceram. Não se detenha mais, senhor gerente; logo mais estarei pessoalmente na firma: tenha a bondade de dizer isso e de apresentar minhas recomendações ao senhor chefe.

E enquanto Gregor expelia tudo às pressas, mal sabendo o que falava, aproximou-se do armário com facilidade — certamente em consequência da prática já adquirida na cama — tentando erguer-se apoiado nele. Queria efetivamente abrir a porta, deixar-se ver e conversar com o gerente; estava curioso para saber o que diriam, ao vê-lo, os outros que agora exigiam tanto a sua presença. Se eles se assustassem, então Gregor não tinha mais nenhuma responsabilidade e podia sossegar. Mas se aceitassem tudo tranquilamente, então ele não tinha motivo para afligir-se e podia, caso se apressasse, estar de fato na estação ferroviária às oito horas. A princípio escorregou algumas vezes do armário liso, mas finalmente, com um último impulso, pôs-se em pé; já não prestava nenhuma atenção às dores na parte inferior do corpo, por mais intensas que fossem. Deixou-se então cair sobre as costas de uma cadeira próxima, em cujas bordas se segurou com as perninhas. Mas com isso adquiriu também o domínio sobre si mesmo e silenciou, pois agora podia escutar o gerente.

— Entenderam uma única palavra? — perguntou o gerente aos pais. — Será que ele não nos está fazendo de bobos?

— Pelo amor de Deus! — exclamou a mãe já em lágrimas. — Talvez ele esteja seriamente doente e nós o atormentamos. Grete! Grete! — gritou então.

— Mamãe? — bradou a irmã do outro lado.

Elas se comunicavam através do quarto de Gregor.

— Você precisa ir imediatamente ao médico. Gregor está doente. Vá correndo ao médico. Você ouviu Gregor falar, agora?

— Era uma voz de animal — disse o gerente, em voz sensivelmente mais baixa, comparada com os gritos da mãe.

— Ana, Ana! — chamou o pai, batendo as mãos, através da antessala para a cozinha. — Vá buscar já um serralheiro!

E logo as duas moças atravessaram a antessala correndo, com um ruído de saias — como é que a irmã tinha se vestido tão depressa? —, e escancararam a porta. Não se ouviu a porta bater de volta; sem dúvida deixaram-na aberta, como costuma acontecer nas casas em que aconteceu uma grande desgraça.

Gregor porém estava muito mais calmo. Certamente não entendiam mais suas palavras, embora para ele elas parecessem claras, mais claras que antes, talvez porque o ouvido havia se acostumado. De qualquer forma agora já se acreditava que as coisas com ele não estavam em perfeita ordem, e a disposição era de ajudá-lo. A confiança e a certeza com que foram tomadas as primeiras decisões fizeram-lhe bem. Sentiu-se novamente incluído no círculo dos homens e passou a esperar do médico e do serralheiro — sem propriamente separá-los — desempenhos excepcionais e surpreendentes. A fim de ficar com a voz o mais clara possível para as conversações decisivas que se aproximavam, tossiu um pouco, esforçando-se entretanto para fazer isso de um modo bem abafado, uma vez que até esse ruído possivelmente soava diferente de uma tosse humana, coisa que ele mesmo já não ousava decidir. Nesse meio-tempo fez-se completo silêncio no aposento ao lado. Talvez os pais estivessem sentados à mesa com o gerente e cochichassem, talvez estivessem todos curvados sobre a porta, escutando.

Gregor deslocou-se devagar até a porta empurrando a cadeira, largou-a lá, lançou-se de encontro à porta, conservando-se em pé apoiado nela — as extremidades das suas perninhas tinham um pouco de substância adesiva — e ali descansou por um instante do esforço. Mas depois começou a girar, com a boca, a chave na fechadura. Infelizmente, ao que parecia ele não tinha dentes de verdade — com o que devia logo agarrar a chave? — mas em compensação as mandíbulas eram sem dúvida muito fortes; com a ajuda delas pôde de fato pôr a chave em movimento e não dar atenção ao fato de que estava seguramente causando alguma lesão em si mesmo, pois um líquido marrom saiu da sua boca, escorreu sobre a chave e pingou no chão.

— Ouçam — disse o gerente no cômodo vizinho —, ele está girando a chave.

Para Gregor isso foi um grande estímulo; mas todos deveriam encorajá-lo, inclusive o pai e a mãe.

— Aí, Gregor! — deveriam clamar. — Sempre em frente, firme na fechadura!

E imaginando que todos acompanhavam ansiosos os seus esforços, mordeu a chave como um louco, com todas as forças que ainda podia reunir. À medida que a chave ia girando, ele dançava em torno da fechadura; agora mantinha-se em pé só com o auxílio da boca e, conforme a necessidade, ficava pendurado na chave ou a empurrava outra vez para baixo com todo o peso do seu corpo. O som mais claro da fechadura que enfim retrocedia literalmente despertou Gregor. Respirando aliviado ele disse a si mesmo:

— Não precisei portanto do serralheiro — e colocou a cabeça sobre a maçaneta para abrir inteiramente a porta.

Uma vez que precisava abri-la puxando contra si uma das suas folhas, ela já estava com efeito bem aberta e ele ainda não podia ser visto. Precisou primeiro girar lentamente o corpo, acompanhando o movimento da folha, na verdade com muito cuidado para não cair redondamente de costas bem diante da entrada para o quarto. Estava ainda ocupado com essa manobra difícil, sem ter tido tempo para atentar em outra coisa, quando ouviu o gerente soltar um "oh" alto — soava como o vento que zune — e então Gregor o viu também: era o mais próximo da porta e comprimia a mão sobre a boca, enquanto recuava devagar, como se o impelisse uma força invisível que continuasse agindo de modo constante. A mãe — apesar da presença do gerente, ela estava ali com os cabelos ainda desfeitos pela noite, espetados para o alto — a princípio fitou o pai com as mãos entrelaçadas, depois deu dois passos em direção a Gregor e caiu no meio das saias que se espalhavam ao seu redor, o rosto totalmente afundado no peito. O pai cerrou o punho com expressão hostil, como se quisesse fazer Gregor recuar para dentro do quarto, depois olhou em volta de si, inseguro, na sala de estar, em seguida cobriu os olhos com as mãos e chorou a ponto de sacudir o peito poderoso.

Gregor não entrou então na sala de estar mas, de dentro, apoiou-se na folha da porta que estava bem travada, de tal modo que só se podia ver a metade do seu corpo e acima dela a cabeça inclinada de lado, com a qual ele espreitava os outros. Nesse meio-tempo havia clareado bastante; do outro lado da rua aparecia, nítido, um recorte do interminável edifício cinza-negro da frente — era um hospital — com as janelas regulares que rompiam duramente a fachada; a chuva ainda caía, mas só em gotas grandes, visíveis uma a uma e que também desciam à terra literalmente isoladas. A louça do café da manhã jazia abundante sobre a mesa, pois para o pai a refeição mais importante do dia era o desjejum, que ele prolongava horas com a leitura de diversos jornais. Na parede logo em frente pendia uma fotografia de Gregor, do seu tempo de serviço militar, que o mostrava como tenente, a mão na espada, o sorriso despreocupado, exigindo respeito pela postura e pelo uniforme. A porta para a antessala estava aberta, e uma vez que a entrada do apartamento continuava escancarada, via-se o vestíbulo da casa e o começo da escada que descia.

— Bem — disse Gregor, consciente de que era o único que havia conservado a calma —, vou logo me vestir, pôr o mostruário na mala e partir de viagem. Vocês querem mesmo me fazer partir? Bem, senhor gerente, o senhor está vendo que não sou teimoso e que gosto de trabalhar; viajar é fatigante, mas não poderia viver sem viajar. Para onde o senhor vai, senhor gerente? Para a firma? Sim? O senhor vai relatar tudo fielmente? Pode-se no momento estar incapacitado para trabalhar, mas essa é a hora certa para se lembrar das realizações passadas e para se pensar que mais tarde, uma vez superados os obstáculos, sem dúvida se vai trabalhar com mais afinco e forças mais concentradas. Devo muita obrigação ao senhor chefe, isso o senhor sabe muito bem. Tenho por outro lado de cuidar dos meus pais e da minha irmã. Estou num aperto, mas sairei dele trabalhando. Não me torne porém as coisas mais difíceis do que já são. Tome o meu partido na firma! Que o caixeiro-viajante não é querido eu sei. Todos pensam que ele ganha rios de dinheiro e além disso leva uma boa vida. Não se tem de fato nenhuma oportunidade especial para se analisar melhor esse preconceito. Mas o senhor, gerente, o senhor tem sobre as coisas, cá entre nós, uma visão de conjunto melhor do que o resto do pessoal, melhor até do que o próprio senhor chefe, que na qualidade de empresário se deixa enganar facilmente no seu julgamento em prejuízo do funcionário. O senhor sabe muito bem que o caixeiro-viajante, que fica quase o ano inteiro fora da firma, pode assim se tornar facilmente vítima de mexericos, casualidades e queixas infundadas, contra as quais é completamente impossível se defender, uma vez que na maioria das vezes ele não fica sabendo delas e só o faz quando, exausto, termina uma viagem e já em casa sente na própria carne as consequências nefastas cujas origens não podem mais ser descobertas. Senhor gerente, não vá embora sem me dizer uma palavra capaz de mostrar que o senhor me dá pelo menos uma pequena parcela de razão!

Mas o gerente, já às primeiras palavras de Gregor, tinha virado as costas e só lhe dirigia o olhar por cima dos ombros trêmulos, com os lábios revirados. E durante a fala de Gregor não ficou parado um instante, recuando sem perder Gregor de vista, muito gradualmente, em direção à porta, como se houvesse uma proibição secreta de deixar a sala. Já estava na antessala e, pelo movimento súbito com que pela última vez tirou o pé do chão da sala de estar, seria possível acreditar que acabava de queimar a sola do pé. Na antessala, entretanto, esticou longe a mão direita, no sentido da escada, como se lá o aguardasse uma salvação decididamente extraterrena.

Gregor compreendeu que o gerente não podia de modo algum ir embora nesse estado de espírito; caso contrário seu emprego na firma ficaria extremamente ameaçado. Os pais não entendiam nada disso muito bem; no curso de longos anos formaram a convicção de que Gregor estava garantido pelo resto da vida nessa firma e além disso tinham tanta coisa para fazer agora, com as preocupações do momento, que qualquer previsão lhes escapava. Mas Gregor tinha essa previsão. O gerente precisava ser retido, tranquilizado, persuadido e finalmente conquistado; dependia disso o futuro de Gregor e de sua família! Se ao menos a irmã estivesse aqui! Ela era esperta; já tinha chorado quando Gregor ainda estava deitado calmamente de costas. E sem dúvida o gerente, esse amigo das mulheres, teria se deixado levar por ela; ela teria fechado a porta do apartamento e desfeito o seu susto na antessala através de palavras. Mas infelizmente a irmã não estava aqui, era o próprio Gregor quem precisava agir. E sem pensar que ainda não conhecia suas atuais faculdades para se mover, sem cogitar também que seu discurso possivelmente — na verdade, provavelmente — não tinha sido entendido mais uma vez, ele largou a folha da porta e se enfiou pela abertura; queria caminhar até o gerente, que já segurava ridiculamente com as duas mãos o corrimão do vestíbulo; mas logo caiu — buscando apoio e com um pequeno grito — sobre suas inúmeras perninhas. Mal isso tinha acontecido, sentiu pela primeira vez nessa manhã um bem-estar físico; como, para sua alegria, ele notou, elas obedeciam perfeitamente; esforçavam-se até para transportá-lo aonde ele queria; e Gregor já acreditava ter diante de si a melhora definitiva de todo o sofrimento. Mas no instante mesmo em que estava no chão, balançando por causa do movimento reprimido, não muito distante da mãe, na verdade bem à sua frente, ela — que parecia completamente mergulhada em si mesma — saltou de um só golpe para o alto, com os braços bem estendidos e o dedo apontado, bradando:

— Socorro! Pelo amor de Deus, socorro!

Conservava a cabeça inclinada, como se quisesse ver Gregor melhor, mas em contradição com isso retrocedia de maneira impensada; tinha esquecido que atrás dela estava a mesa ainda posta e quando a alcançou sentou-se, como que por distração, rapidamente em cima; e parecia não notar absolutamente que ao seu lado o café escorria em abundância da grande jarra virada sobre o tapete.

— Mamãe! Mamãe! — disse Gregor baixinho e olhou para ela de baixo para cima.

Por um instante o gerente sumiu do seu pensamento; por outro lado não pôde se impedir, à vista do café que escorria, de bater no vazio várias vezes com as mandíbulas. Diante disso a mãe recomeçou a gritar, escapou da mesa e caiu nos braços do pai que corria ao seu encontro. Mas agora Gregor não tinha tempo para seus pais; o gerente já estava na escada; com o queixo em cima do corrimão ele ainda olhou para trás uma última vez. Gregor tomou impulso para alcançá-lo com a maior certeza possível; o gerente deve ter pressentido alguma coisa, pois deu um salto sobre vários degraus e desapareceu; ainda gritou "ui!" e o grito ressoou por toda a escadaria. Infelizmente a fuga do gerente pareceu perturbar por completo o pai, que até então tinha estado relativamente sereno; pois em vez de correr, ele próprio, atrás do gerente, ou pelo menos não impedir Gregor de persegui-lo, agarrou com a mão direita a bengala do gerente, que este havia deixado com o chapéu e o sobretudo em cima de uma cadeira, pegou com a esquerda um grande jornal da mesa e, batendo os pés, brandindo a bengala e o jornal, pôs-se a tocar Gregor de volta ao seu quarto. Nenhum pedido de Gregor adiantou, nenhum pedido também foi entendido; por mais humilde que inclinasse a cabeça, com tanto mais força o pai batia os pés. Do outro lado a mãe, apesar do tempo frio, tinha aberto uma vidraça e, curvada para fora, bem distante da janela, comprimia o rosto nas mãos. Entre a rua e a escadaria formou-se uma forte corrente de ar, as cortinas inflaram, os jornais sobre a mesa começaram a rumorejar, algumas folhas voaram para o chão. Implacável, o pai o pressionava, emitindo silvos como um selvagem. Mas Gregor ainda não tinha prática de andar para trás, as coisas iam realmente muito devagar. Se pudesse apenas girar o corpo, logo estaria no seu quarto, mas temia tornar o pai impaciente com essa operação que demandava tempo — e a todo instante a bengala na mão dele o ameaçava com um golpe mortal nas costas ou na cabeça. Mas no fim não restou a Gregor outra coisa senão isso, pois ele notou com horror que, andando para trás, não sabia nem mesmo manter a direção; e assim, lançando olhares incessantes e angustiados para o lado do pai, começou a dar a volta, tão rápido quanto possível, na realidade porém muito lentamente. Talvez o pai tenha percebido sua boa vontade, pois nesse lance não o perturbou, mas até dirigiu, aqui e ali, à distância, o movimento giratório com a ponta da bengala. Se apenas não houvesse esse sibilo insuportável do pai! Gregor perdia completamente a cabeça por causa disso. Já tinha feito a volta quase por completo quando, sempre ouvindo o silvo, se enganou e retrocedeu outra vez um pouco para a posição original. Mas quando enfim estava com a cabeça diante da abertura da porta, feliz, verificou que seu corpo era demasiado largo para passar sem mais por ela. Ao pai, naturalmente, na sua condição atual, não ocorreu nem mesmo remotamente abrir a outra folha da porta, para oferecer a Gregor passagem suficiente. Sua ideia fixa era simplesmente que Gregor voltasse o mais rápido possível para o quarto. Jamais teria permitido os preparativos minuciosos de que Gregor necessitava para levantar-se e, talvez desse modo, passar pela porta. Em vez disso, impelia agora Gregor com um ruído excepcional, como se não existisse nenhum obstáculo; a voz atrás dele já não soava como a de um pai apenas; realmente já não era uma brincadeira e Gregor forçou — acontecesse o que quisesse — a entrada pela porta. Um lado do seu corpo se ergueu, permaneceu torto na abertura da porta, um dos seus flancos se esfolou inteiro, na porta branca ficaram manchas feias, ele logo se entalou e não poderia mais mover-se sozinho — as perninhas de um lado pendiam trêmulas no ar, as do outro comprimiam-se doloridas no chão — quando o pai desferiu, por trás, um golpe agora de fato possante e liberador e ele voou, sangrando violentamente, bem para dentro do seu quarto. A porta foi fechada ainda com a bengala, depois houve por fim silêncio.

II

Só no crepúsculo Gregor despertou do sono pesado, semelhante a um desmaio. Mesmo sem ser perturbado, certamente não teria acordado muito mais tarde, pois sentia que havia descansado e dormido o suficiente; pareceu-lhe contudo que um passo fugidio e o fechar cauteloso da porta que dava para a antessala o tinham despertado. O brilho das lâmpadas elétricas da rua se refletia lívido, aqui e ali, sobre o teto e as partes mais altas dos móveis, mas embaixo, junto a Gregor, estava escuro. Tateando desajeitadamente com as antenas que só agora aprendia a valorizar, se deslocou até a porta para ver o que havia acontecido lá. Seu lado esquerdo parecia uma única e longa cicatriz, desagradavelmente esticada, e ele precisava literalmente mancar sobre duas fileiras de pernas. Uma perninha, aliás, tinha sido gravemente ferida no curso dos acontecimentos da manhã — era quase um milagre o fato de que só uma fora lesada — e se arrastava sem vida atrás das outras.

Só quando chegou à porta percebeu o que de fato o havia atraído até lá; era o cheiro de algo comestível. Pois ali havia uma tigela de leite doce, no qual nadavam pequenos pedaços de pão branco. Teria quase rido de alegria, pois estava com uma fome maior que a da manhã, e imediatamente mergulhou a cabeça até a altura dos olhos dentro do leite. Mas retirou-a logo, decepcionado; não só comer lhe oferecia dificuldades, por causa do lado esquerdo em condição delicada — e ele só podia comer se o corpo todo, resfolegando, colaborasse —, como também não gostou nada do leite, antes sua bebida predileta, e que sem dúvida por isso a irmã havia colocado ali para ele; na realidade afastou-se quase com repulsa da tigela e rastejou de volta para o meio do quarto.

Na sala de estar, como Gregor podia ver pela fresta da porta, o gás estava aceso, mas ao passo que nessa hora do dia o pai em geral costumava ler, em voz alta, o jornal que saía à tarde, para a mãe e às vezes também para a irmã, agora não se ouvia som algum. Bem, talvez essa leitura, sobre a qual a irmã sempre falava e escrevia, tivesse caído em desuso nos últimos tempos. Mas também em volta reinava o silêncio, embora a casa certamente não estivesse vazia.

— Que vida tranquila a família levava! — disse Gregor a si mesmo e sentiu, enquanto fitava o escuro diante dele, um grande orgulho por ter podido proporcionar aos seus pais e à sua irmã uma vida assim, num apartamento tão bonito. Mas como seria agora, se todo o sossego, todo o bem-estar, toda a satisfação chegasse assustadoramente ao fim? Para não se perder nesses pensamentos, Gregor preferiu pôr-se em movimento, rastejando de cá para lá no quarto.

Uma vez durante a longa noite foi aberta uma porta lateral, depois a outra, até uma pequena fresta, mas elas foram rapidamente fechadas de novo. Decerto alguém sentira necessidade de entrar, mas logo tivera também muitas dúvidas. Gregor postou-se então bem junto à porta que dava para a sala de estar, disposto a fazer de alguma forma o visitante indeciso entrar, ou pelo menos ficar sabendo quem era; mas aí a porta não foi mais aberta e ele esperou em vão. Antes, quando as portas estavam fechadas, todos queriam entrar para vê-lo, agora que ele havia aberto uma e as outras evidentemente tinham sido abertas durante o dia, ninguém mais vinha e as chaves estavam na fechadura também do lado de fora.

Só tarde da noite se apagou a luz da sala de estar e então foi fácil verificar que os pais e a irmã tinham ficado acordados todo esse tempo, pois — como se podia ouvir nitidamente — os três agora se afastavam nas pontas dos pés. Sem dúvida ninguém mais entraria para ver Gregor até a manhã do dia seguinte; tinha portanto um tempo longo para refletir sem ser perturbado sobre a maneira como deveria agora reorganizar a sua vida. Mas o quarto alto e vazio, no qual era forçado a permanecer de bruços no chão, o angustiava, sem que pudesse descobrir a causa, pois afinal era o quarto habitado há cinco anos por ele — e com uma virada semi-inconsciente e não sem uma ligeira vergonha, precipitou-se para debaixo do canapé onde, embora as costas ficassem um pouco prensadas e não pudesse mais erguer a cabeça, ele logo se sentiu muito aconchegado, lamentando apenas que seu corpo fosse largo demais para se abrigar inteiramente sob o canapé.

Ali passou a noite inteira, em parte num semissono do qual a fome continuamente o acordava com um sobressalto, em parte às voltas com preocupações e esperanças imprecisas que levavam à conclusão de que no momento precisava manter-se calmo e tornar suportáveis, pela paciência e pela máxima consideração com a família, as inconveniências que estava simplesmente compelido a lhe causar no seu estado atual.

Já de madrugada — ainda era quase noite — Gregor teve oportunidade de testar a força das decisões que acabava de tomar, pois a irmã, já quase completamente vestida, abriu a porta do seu quarto que dava para a antessala, e olhou ansiosa para dentro. Não o descobriu logo, mas ao percebê-lo embaixo do canapé — santo Deus, em algum lugar ele havia de estar, não podia ter voado embora! — ela se assustou tanto que, incapaz de se dominar, fechou a porta outra vez por fora. Mas, como se se arrependesse do seu comportamento, abriu-a de novo imediatamente e entrou na ponta dos pés, como se fosse o quarto de um doente grave ou mesmo de um estranho. Gregor tinha esticado a cabeça até a beira do canapé e a observava. Será que ela notaria que ele nem tinha tocado o leite — e não, de forma alguma, por falta de fome? E será que traria outra comida mais adequada para ele? Se não o fizesse espontaneamente, ele preferiria morrer de fome a chamar sua atenção para isso, embora na verdade sentisse uma pressão medonha para disparar de debaixo do canapé, atirar-se aos pés da irmã e pedir-lhe alguma coisa boa de comer. Mas a irmã percebeu de pronto, com espanto, a tigela ainda cheia, em volta da qual estava esparramado um pouco de leite, ergueu-a logo do chão — na realidade, não com as mãos nuas, mas com um trapo — e levou-a para fora. Gregor estava extremamente curioso para saber o que ela traria em substituição ao leite, fazendo as mais variadas conjecturas a esse respeito. Mas jamais teria podido adivinhar o que, na sua bondade, a irmã de fato fez. Ela trouxe, para testar o seu gosto, todo um sortimento, espalhado sobre um jornal velho. Havia ali legumes já passados, meio apodrecidos; ossos do jantar, rodeados por um molho branco já endurecido; algumas passas e amêndoas; um queijo que, dois dias antes, Gregor tinha declarado intragável; um pão seco, um pão com manteiga e um pão com manteiga e sal. Além de tudo ela ainda acrescentou a tigela — provavelmente destinada de uma vez por todas a Gregor — na qual havia despejado água. E por delicadeza, pois sabia que ele não comeria na sua frente, afastou-se o mais rápido possível e até girou a chave na fechadura, para que ele fosse capaz de perceber que poderia ficar tão à vontade quanto quisesse. As perninhas de Gregor zuniam quando ele foi comer. De resto os seus ferimentos deviam estar completamente curados:

não sentia mais nenhum impedimento, admirou-se com isso e ficou pensando como, mais de um mês antes, tinha cortado um pouco o dedo com a faca e como, ainda anteontem, esse ferimento causava bastante dor.

— Será que agora eu tenho menos sensibilidade? — pensou e chupou vorazmente o queijo, que o atraíra de maneira imediata e enérgica acima de todos os outros alimentos.

Rapidamente, um atrás do outro, com lágrimas de satisfação nos olhos, ele devorou o queijo, os legumes e o molho; as comidas frescas, ao contrário, não o agradavam, nem mesmo o seu cheiro ele conseguia suportar, chegou até a arrastar um pouco para longe as coisas que queria comer. Tinha terminado tudo fazia tempo, e já estava deitado preguiçosamente no mesmo lugar, quando a irmã, para mostrar que ia voltar, virou lentamente a chave. Isso o sobressaltou de imediato, embora já quase cochilasse, e ele correu novamente para debaixo do canapé. Mas custou-lhe grande esforço de autodomínio permanecer sob o canapé, mesmo pelo breve tempo em que a irmã esteve no quarto, pois com a refeição copiosa seu corpo tinha se arredondado um pouco e ali no aperto ele mal conseguia respirar. Em meio a pequenos acessos de asfixia, ficou observando, com os olhos um tanto fora das órbitas, a irmã, que não suspeitava de nada, juntar com uma vassoura não só os restos, mas também os alimentos que não tinham sido tocados por Gregor — como se estes também não pudessem mais ser aproveitados —, despejar tudo às pressas num balde, que ela fechou com uma tampa de madeira e depois carregou para fora. Mal a irmã tinha virado as costas, Gregor saiu de debaixo do canapé, distendeu o corpo e se encheu de ar.

Agora era dessa maneira que recebia diariamente sua alimentação, uma vez pela manhã, quando os pais e a empregada ainda dormiam, e a segunda depois do almoço, pois então seus pais dormiam igualmente um pouquinho e a empregada era despachada pela irmã com alguma incumbência. Certamente os pais também não queriam que Gregor morresse de fome, mas talvez não suportassem tomar conhecimento da sua alimentação mais do que por ouvir dizer; talvez fosse possível também que a irmã quisesse poupá-los de uma pequena tristeza, uma vez que de fato eles já sofriam bastante.

Com que desculpas o médico e o serralheiro foram mandados embora de casa, naquela manhã, Gregor não pôde ficar sabendo: visto que não era entendido, ninguém, nem mesmo a irmã, pensava que ele podia entender os outros; e assim, quando a irmã estava no seu quarto, ele tinha de se contentar em ouvir, aqui e ali, seus suspiros e invocações aos santos. Só mais tarde, quando ela havia se habituado um pouco a tudo — naturalmente não se podia nunca falar em hábito completo —, Gregor às vezes apreendia uma observação amigável ou que podia ser interpretada como tal:

— Hoje, sim, ele gostou — ela dizia, quando Gregor tinha limpado para valer toda a comida; ao passo que, no caso contrário — que aos poucos se repetia numa frequência cada vez maior —, costumava dizer quase com tristeza:

— Deixou tudo outra vez.

Mas ao passo que não podia tomar conhecimento imediato de qualquer novidade, Gregor escutava muita coisa vinda dos quartos vizinhos, e onde quer que ouvisse vozes corria logo à respectiva porta e se espremia nela com o corpo todo. Especialmente nos primeiros tempos não havia conversa que de algum modo não tratasse dele, mesmo em segredo. Durante dois dias, em todas as refeições, podiam se ouvir confabulações sobre como agora deviam se comportar; mas também entre as refeições se falava do mesmo tema, pois em casa estavam sempre pelo menos dois membros da família, já que ninguém queria ficar sozinho em casa e não se podia de maneira alguma abandonar totalmente o apartamento. Logo no primeiro dia a empregada — não estava muito claro o que e o quanto sabia do sucedido — pediu de joelhos à mãe que a dispensasse imediatamente do emprego, e quando, um quarto de hora depois, se despediu, agradeceu em lágrimas pela dispensa, bem como pelo grande favor que ali lhe faziam, prestando — sem que se exigisse isso dela — o solene juramento de não revelar a ninguém o mínimo que fosse.

A irmã então teve também de cozinhar junto com a mãe; no entanto isso não exigia muito esforço, pois não se comia quase nada. Constantemente Gregor ouvia como um exortava o outro inutilmente a comer, sem receber outra resposta senão "obrigado, estou satisfeito" ou coisa semelhante. Talvez também não se bebesse nada. Muitas vezes a irmã perguntava ao pai se ele queria cerveja, oferecendo-se cordialmente a ir buscá-la ela mesma e, quando o pai silenciava, dizia, para desfazer qualquer escrúpulo da parte dele, que podia também mandar a zeladora do prédio buscar; mas então o pai dizia finalmente um grande "não" e não se falava mais nisso.

Já no decorrer do primeiro dia o pai expôs toda a situação financeira e as perspectivas tanto à mãe quanto à irmã. De quando em quando ele se levantava da mesa e pegava, no pequeno cofre-forte que tinha resgatado da falência do seu negócio, ocorrida cinco anos antes, algum documento ou livro de notas. Ouvia-se como ele destravava a complicada fechadura e a fechava outra vez, depois de apanhar o que procurava. Essas explicações do pai foram em parte a primeira coisa agradável que Gregor escutou desde a sua reclusão. Ele achava que daquele negócio não havia sobrado absolutamente nada para o pai — pelo menos o pai não lhe dissera nada em sentido contrário e, seja como for, Gregor também não o havia interrogado a esse respeito. A preocupação de Gregor na época tinha sido apenas fazer tudo para a família esquecer o mais rápido possível a desgraça comercial, que havia levado todos a um estado de completa desesperança. E assim começara a trabalhar com um fogo muito especial e, quase da noite para o dia, passara de pequeno caixeiro a caixeiro-viajante, que naturalmente tinha possibilidades bem diversas de ganhar dinheiro e cujos êxitos no trabalho se transformaram imediatamente, na forma de provisões, em dinheiro sonante que podia ser posto na mesa diante da família espantada e feliz. Tinham sido bons tempos e nunca se repetiram, pelo menos não com esse brilho, embora Gregor mais tarde ganhasse tanto dinheiro que era capaz de assumir — e de fato assumiu — as despesas de toda a família. Tanto a família como Gregor acostumaram-se a isso: aceitava-se com gratidão o dinheiro, ele o entregava com prazer, mas disso não resultou mais nenhum calor especial. Só a irmã ainda havia permanecido próxima a Gregor e o plano secreto dele era mandá-la no próximo ano ao conservatório, sem pensar nos altos custos que isso representava, os quais seriam ressarcidos de outro modo; pois ela, diferentemente de Gregor, gostava muito de música e sabia tocar violino de forma comovente. Várias vezes, durante as curtas estadas de Gregor na cidade, mencionou-se o conservatório nas conversas com a irmã, mas sempre como um belo sonho, em cuja realização não se podia pensar, e os pais não gostavam de escutar nem mesmo essas menções inocentes; Gregor porém pensava nisso de maneira muito definida e tinha a intenção de anunciá-lo solenemente na noite de Natal.

Esses pensamentos, completamente inúteis no seu estado atual, passaram-lhe pela cabeça quando ele, de pé, estava colado à porta escutando. Às vezes, em virtude do cansaço geral, não conseguia de modo algum continuar ouvindo — e por descuido deixou a cabeça bater na porta; segurou-a porém imediatamente outra vez, pois mesmo o pequeno ruído que assim havia provocado tinha sido escutado do outro lado, e feito com que todos silenciassem.

— O que é que ele está outra vez fazendo? — disse o pai depois de um intervalo, evidentemente voltado para a porta, e só aí a conversa interrompida foi aos poucos retomada.

Gregor tomou então pleno conhecimento — pois o pai costumava se repetir muitas vezes nas suas explicações, em parte porque ele mesmo não se ocupava havia muito tempo dessas coisas, em parte também porque a mãe não entendia tudo logo na primeira vez — de que, apesar de toda a desgraça, ainda restava dos velhos tempos um pecúlio, de qualquer modo bem pequeno, que os juros não tocados nesse ínterim tinham feito crescer alguma coisa. Mas além disso o dinheiro que Gregor trouxera todos os meses para casa — ele só reservava alguns florins para si mesmo — não tinha sido todo gasto e formara um pequeno capital. Atrás da sua porta, Gregor meneou vivamente a cabeça, satisfeito com a inesperada previdência e senso de economia. Na verdade poderia ter pago, com essa sobra de dinheiro, mais uma parte da dívida do pai ao chefe, e com isso estaria muito mais próximo o dia em que poderia se livrar do emprego; mas agora era indubitavelmente melhor assim do modo como o pai havia arranjado as coisas.

Entretanto esse dinheiro não bastava de maneira alguma para permitir que a família vivesse de renda; talvez fosse suficiente para sustentá-la um, no máximo dois anos, não mais que isso. Era portanto meramente uma soma que não se poderia tocar e que precisava ser reservada para uma emergência; mas o dinheiro para viver tinha de ser ganho. Ora, o pai era na verdade um homem saudável, porém velho, que não trabalhava fazia cinco anos e que, seja como for, não podia se exceder; nesses cinco anos, que foram as primeiras férias da sua vida estafante e no entanto malograda, ele havia engordado muito e com isso se tornado bastante moroso. E a velha mãe, que sofria de asma, a quem uma caminhada pelo apartamento já era um esforço, e que, dia sim dia não, passava o dia no sofá, junto à janela aberta, com dificuldades de respiração — deveria ela agora, por acaso, ganhar dinheiro? E deveria ganhar dinheiro a irmã, que com dezessete anos era ainda uma criança e cujo estilo de vida até agora dava gosto de ver, consistindo em vestir roupas bonitas, dormir bastante, ajudar na casa, participar de algumas diversões modestas e acima de tudo tocar violino? Quando a conversa chegava a essa necessidade de ganhar dinheiro, Gregor se soltava da porta e se atirava sobre o frio sofá de couro que se encontrava ao lado, pois ficava ardendo de vergonha e tristeza.

Frequentemente passava noites inteiras deitado ali, sem dormir um instante, apenas arranhando o couro durante horas. Ou então não fugia ao grande esforço de empurrar uma cadeira até a janela, para depois rastejar rumo ao peitoril e, escorado na cadeira, inclinar-se sobre a janela — evidentemente em nome de alguma lembrança do sentimento de liberdade que outrora lhe dava olhar pela janela. Pois efetivamente ele enxergava dia a dia com menos acuidade as coisas mesmo pouco distantes; o hospital defronte, cuja visão frequente demais ele antes amaldiçoava, já não estava mais ao alcance da sua vista; e se ele não soubesse exatamente que morava na calma — embora inteiramente urbana — rua Charlotte, poderia acreditar que da sua janela estava olhando para um deserto, no qual o céu cinzento e a terra cinzenta se uniam sem se distinguirem um do outro. A atenta irmã precisou ver só duas vezes que a cadeira estava junto à janela para, assim que arrumava o quarto, empurrá-la de novo precisamente para o mesmo lugar; daí por diante deixou aberta até a folha interna da janela.

Se ao menos tivesse podido conversar com a irmã e agradecer tudo o que ela precisava fazer por ele, Gregor teria aceitado mais facilmente os seus serviços; assim, porém, eles o faziam sofrer. Certamente a irmã procurava apagar ao máximo o que havia de penoso em tudo isso, e quanto mais o tempo passava, tanto mais, naturalmente, ela o conseguia, mas Gregor também devassava tudo com muito maior clareza. Já a entrada dela era terrível para ele. Mal havia entrado, sem se dar tempo para fechar a porta, por mais que de resto cuidasse em poupar a qualquer um a visão do quarto de Gregor, ela corria direto à janela e a escancarava com mãos apressadas, quase como se sufocasse, ali permanecendo um pouquinho — mesmo que o tempo ainda estivesse muito frio — enquanto respirava profundamente. Com essa corrida e esse barulho ela assustava Gregor duas vezes por dia; durante todo esse tempo ele tremia debaixo do canapé, sabendo muito bem que ela sem dúvida gostaria de poupá-lo disso, caso lhe fosse possível ficar num quarto com janelas fechadas onde Gregor se encontrava.

Certa vez — já havia passado bem um mês desde a metamorfose de Gregor, não existindo, pois, mais nenhum motivo especial para a irmã se espantar à vista dele — ela veio um pouco mais cedo que de costume e o encontrou quando ele ainda olhava pela janela, imóvel e portanto numa posição propícia para assustar. Se ela não houvesse entrado, não teria sido uma surpresa para Gregor, uma vez que a posição dele a impedia de abrir imediatamente a janela; mas não só ela não entrou, como também recuou e fechou a porta; um estranho poderia ter pensado que ele estivera à sua espreita porque queria mordê-la. Naturalmente ele se escondeu logo debaixo do canapé, mas teve de esperar até o meio-dia antes que a irmã voltasse, e ela parecia muito mais inquieta que de hábito. Por aí Gregor reconheceu que a visão dele continuava sendo insuportável para ela — e assim haveria de permanecer — e que seguramente ela precisava fazer um grande esforço para não sair correndo à vista mesmo da pequena parte do seu corpo que sobressaía sob o canapé. Para poupar-lhe também essa visão, um dia ele arrastou o lençol nas costas até o canapé — levou quatro horas para realizar esse trabalho — e o dispôs de tal maneira que agora ficava inteiramente coberto e a irmã não podia vê-lo nem que se agachasse. Se na opinião dela esse lençol tivesse sido desnecessário, então ela poderia tê-lo retirado, pois estava suficientemente claro que não fora por prazer que Gregor havia se isolado de modo tão completo; mas ela deixou o lençol como estava e Gregor acreditou até mesmo ter apreendido um olhar de gratidão, quando uma vez levantou o lençol cautelosamente com a cabeça, para ver como a irmã acolhia a nova instalação.

Nas duas primeiras semanas os pais não conseguiram vencer a própria resistência para entrar no quarto e vê-lo, e com frequência ele ouvia como reconheciam plenamente o trabalho da irmã, ao passo que até então tinham muitas vezes se irritado com ela, porque lhes parecera uma moça algo inútil. Mas agora ambos, pai e mãe, aguardavam diante do quarto de Gregor enquanto a irmã fazia a arrumação, e mal ela tinha saído, precisava contar exatamente como estavam as coisas no quarto, o que Gregor havia comido, como se comportara dessa vez, e se por acaso era possível notar uma pequena melhora. A mãe, aliás, quis visitar Gregor relativamente cedo, mas o pai e a irmã a impediram, a princípio com argumentos racionais, que Gregor escutou com muita atenção e aprovou inteiramente. Mais tarde, porém, foi necessário que a contivessem à força, quando então ela exclamou:

— Deixem-me ver Gregor, ele é o meu filho infeliz! Vocês não entendem que eu preciso vê-lo?

Gregor pensou então que talvez fosse bom se a mãe entrasse, naturalmente não todos os dias, mas quem sabe uma vez por semana; ela sabia das coisas muito melhor que a irmã, a qual, apesar de toda a sua coragem, era apenas uma criança e em última análise talvez só tivesse assumido uma tarefa tão pesada por leviandade infantil.

O desejo de Gregor de ver a mãe se realizou logo. Em consideração pelos pais, durante o dia ele não queria mostrar-se à janela; mas nos poucos metros quadrados do chão também não podia se arrastar muito; já durante a noite suportava mal ficar deitado quieto; a comida logo não lhe oferecia o menor prazer; e assim, para se distrair, ele adotou o hábito de ziguezaguear pelas paredes e pelo teto. Gostava particularmente de ficar pendurado no teto; era muito diferente de permanecer deitado no chão; respirava-se com mais liberdade; uma ligeira vibração atravessava seu corpo; e, na distração quase feliz em que Gregor lá se encontrava, podia acontecer que, para sua própria surpresa, ele se soltasse e estatelasse no chão. Naturalmente tinha agora sobre o corpo um poder muito diverso do que antes e mesmo com uma queda tão grande como essa não infligia danos a si mesmo. A irmã notou logo a nova diversão que Gregor havia descoberto — ao rastejar ele deixava aqui e ali vestígios da sua substância adesiva — e então ela pôs na cabeça que devia dar a Gregor a possibilidade de rastejar na extensão máxima do quarto, retirando os móveis que o obstavam, sobretudo o armário e a escrivaninha. Mas não era capaz de fazer tudo isso sozinha; o auxílio do pai ela não ousava pedir; com toda a certeza a empregada não a teria ajudado, pois essa jovem, de cerca de dezesseis anos, resistia, na verdade bravamente, desde a dispensa da antiga cozinheira, mas tinha pedido o favor de poder conservar a cozinha constantemente fechada, só precisando abri-la a um chamado especial; assim, não restou à irmã outra coisa senão ir buscar a mãe, certa vez que o pai estava ausente. A mãe veio com exclamações de excitada alegria, mas silenciou junto à porta do quarto de Gregor. Naturalmente a irmã verificou primeiro se no quarto estava tudo em ordem; só depois deixou a mãe entrar. Na maior pressa, Gregor havia puxado o lençol mais fundo e com mais dobras, o conjunto parecia de fato um lençol atirado ao acaso sobre o canapé. Também desta vez Gregor deixou de espionar de debaixo do lençol; renunciou a ver a mãe por enquanto, e ficou contente por ela ter vindo.

— Venha, não dá para vê-lo — disse a irmã e evidentemente conduziu a mãe pela mão.

Gregor então ouviu como as duas frágeis mulheres removeram do lugar o armário velho e pesado e como a irmã sempre insistia em assumir a parte maior do trabalho, sem dar ouvidos às advertências da mãe, que temia que ela se esforçasse demais. Isso durou muito tempo. Já ao fim de um quarto de hora de trabalho a mãe disse que era melhor deixar o armário ali, pois em primeiro lugar ele era pesado demais, elas não terminariam antes da chegada do pai e atravancariam qualquer passagem de Gregor com o armário no meio do quarto; em segundo, não era nada certo que se fizesse um favor a Gregor com a retirada dos móveis. A ela parecia que se dava justamente o contrário; a visão da parede nua oprimia-lhe francamente o coração; e por que Gregor não devia ter esse mesmo sentimento, uma vez que estava acostumado há tanto tempo aos móveis e iria portanto se sentir abandonado no quarto vazio? E numa voz bem baixa, quase sussurrando, como se quisesse evitar que Gregor — cuja localização exata ela não conhecia — ouvisse até mesmo o som da sua voz, pois estava convencida de que ele não entendia as palavras, a mãe concluiu:

— Não é como se nós mostrássemos, retirando os móveis, que renunciamos a qualquer esperança de melhora e o abandonamos à própria sorte, sem nenhuma consideração? Creio que o melhor seria tentarmos conservar o quarto exatamente no mesmo estado em que estava antes, a fim de que Gregor, ao voltar outra vez para nós, encontre tudo como era e possa desse modo esquecer mais facilmente o que aconteceu no meio-tempo.

Ao ouvir essas palavras da mãe, Gregor reconheceu que a falta de qualquer comunicação humana imediata, ligada à vida uniforme da família, devia ter confundido o seu juízo no decorrer desses dois meses, pois não podia explicar de outro modo que tivesse podido exigir a sério que seu quarto fosse esvaziado. Tinha realmente vontade de mandar que seu quarto — confortavelmente instalado com móveis herdados — se transformasse numa toca em que pudesse então certamente se arrastar imperturbado em todas as direções, ao preço contudo do esquecimento simultâneo, rápido e total do seu passado humano? De fato agora já estava próximo de esquecer, e só a voz da mãe, que havia muito tempo não escutava, o havia sacudido. Nada deveria ser afastado; tudo deveria permanecer; não podia se privar dos bons influxos dos móveis sobre o seu estado; e se os móveis o impediam de rastejar em roda sem objetivo, então isso não era um prejuízo, mas sim uma grande vantagem.

Mas infelizmente a irmã tinha outra opinião; ela havia se habituado — seja como for, de uma maneira inteiramente justificada — a se apresentar diante dos pais, nas conversas sobre as questões de Gregor, como perita, e assim, também agora, o conselho da mãe foi motivo suficiente para a irmã insistir na retirada não apenas do armário e da escrivaninha — na qual ela no início tinha pensado — mas também na de todos os móveis, com exceção do indispensável canapé. Naturalmente não era apenas a teimosia infantil e a autoconfiança adquirida nos últimos tempos que a levavam a essa exigência, de um modo tão inesperado e difícil; ela tinha também observado efetivamente que Gregor precisava de muito espaço para rastejar, ao passo que — até onde se podia ver — não usava o mínimo que fosse os móveis. Mas talvez também desempenhasse aí um papel aquele espírito entusiasta das jovens da sua idade, que busca se satisfazer em qualquer ocasião, e através do qual Grete agora se deixava atrair ao querer tornar a situação de Gregor mais assustadora, a fim de poder então realizar por ele mais ainda do que até agora. Pois num espaço em que Gregor dominasse inteiramente só as paredes vazias, com certeza ninguém, a não ser Grete, jamais se atreveria a penetrar.

E assim ela não se deixou desviar da sua decisão pela mãe, que também parecia insegura, naquele quarto, com tanta inquietação; logo emudeceu e ajudou a irmã, na medida das suas forças, a transportar o armário para fora. Bem, no caso de necessidade Gregor ainda podia se privar do armário, mas a escrivaninha tinha de ficar. E mal as mulheres tinham deixado o quarto com o armário, de encontro ao qual se comprimiam gemendo, Gregor pôs a cabeça para fora, de sob o canapé, para ver como poderia intervir com cuidado e o máximo de consideração. Mas por infelicidade foi justamente a mãe a primeira a voltar, enquanto Grete, no quarto vizinho, abraçava o armário e sozinha o jogava de lá para cá, naturalmente sem tirá-lo do lugar. Mas a mãe não estava acostumada à visão de Gregor; poderia fazê-la ficar doente; e por isso ele foi de marcha a ré, assustado, até a outra extremidade do canapé, mas sem poder mais impedir que o lençol à frente se mexesse um pouco. Isso bastou para chamar a atenção da mãe. Ela parou de repente, ficou um instante quieta e depois voltou para a companhia de Grete.

Embora Gregor dissesse continuamente a si mesmo que não estava acontecendo nada de extraordinário, que apenas alguns móveis seriam trocados de lugar, aquele ir e vir das mulheres, seus curtos chamados, o arrastar dos móveis no chão, produziam nele — como logo teve de admitir — o efeito de um grande tumulto alimentado por todos os lados, e ele precisou dizer consigo mesmo, por mais que encolhesse a cabeça e as pernas, e espremesse o corpo no chão, que não ia aguentar tudo aquilo por muito tempo. Elas lhe esvaziaram o quarto; privavam-no de tudo que lhe era caro; já tinham carregado para fora o armário em que se achavam a serra e outras ferramentas; soltavam agora a escrivaninha fortemente cravada no chão, na qual havia escrito suas lições como estudante de comércio, ginasiano e até como escolar — então realmente não tinha mais tempo para testar as boas intenções das duas mulheres, cuja existência, aliás, já havia quase esquecido, pois elas trabalhavam mudas de cansaço e só se ouvia a pesada batida dos seus pés.

E com isso ele irrompeu para fora — nesse exato momento as mulheres estavam no quarto vizinho, apoiadas na escrivaninha para tomar um pouco de fôlego —, mudou de direção quatro vezes, realmente não sabia o que salvar primeiro, então viu, saliente na parede de resto vazia, a imagem pendurada da dama toda vestida de peles, rastejou às pressas para o alto e comprimiu-se contra o vidro, que o reteve e fez bem à sua barriga quente. Pelo menos essa imagem, que Gregor agora cobria por completo, ninguém certamente levaria embora. Ele torceu a cabeça em direção à porta da sala de estar para observar o retorno das mulheres.

Elas não tinham se concedido muito descanso e já estavam voltando; Grete havia colocado o braço em torno da mãe e quase a arrastava.

— Bem, o que vamos levar agora? — disse Grete e olhou em volta.

Então os olhares dela cruzaram-se com os de Gregor na parede. Sem dúvida só por causa da presença da mãe ela manteve a compostura; inclinou o rosto para a mãe a fim de evitar que esta olhasse ao seu redor e disse — seja como for, trêmula e sem refletir:

— Venha, é melhor voltarmos um instante para a sala de estar.

Para Gregor a intenção de Grete era clara, ela queria pôr a mãe a salvo e depois enxotá-lo parede abaixo. Bem, ela que tentasse! Ele estava sentado em cima da sua imagem e não ia entregá-la. Preferia antes saltar no rosto de Grete.

Mas as palavras de Grete haviam na verdade intranquilizado a mãe; ela deu um passo de lado, divisou a gigantesca mancha marrom no papel de parede florido e, antes que realmente chegasse à sua consciência que o que ela via era Gregor, exclamou com voz esganiçada e áspera:

— Ai, meu Deus! Ai, meu Deus!

Como se desistisse de tudo, ela caiu de braços abertos sobre o canapé e não se moveu.

— Você, Gregor! — bradou a irmã com o punho erguido e olhos penetrantes.

Eram as primeiras palavras que endereçava diretamente a ele desde a metamorfose. Correu ao quarto vizinho para pegar alguma essência com que pudesse despertar a mãe do desmaio; Gregor queria também ajudar — para salvar o quadro ainda havia tempo —, mas estava firmemente colado ao vidro e precisava se soltar à força; depois correu também para o quarto vizinho, como se pudesse, à maneira de antigamente, dar algum conselho à irmã; mas aí teve de ficar bem atrás dela sem fazer nada; enquanto vasculhava em diversos frascos, ela, ao girar o corpo, ainda levou um susto; uma garrafa caiu no chão e se quebrou; um estilhaço feriu Gregor na cara, algum remédio corrosivo escorreu por ele; Grete então pegou, sem mais se deter, quantos frascos podia segurar e disparou com eles em direção à mãe; a porta ela bateu com o pé. Gregor ficou então isolado da mãe, que por culpa sua talvez estivesse perto da morte; não podia abrir a porta, se não quisesse afugentar a irmã que precisava permanecer junto à mãe; agora não tinha outra coisa a fazer senão esperar; e oprimido por autocensuras e apreensão começou a rastejar — rastejou por cima de tudo, paredes, móveis, teto, e no seu desespero, quando todo o quarto começou a virar ao seu redor, caiu finalmente em cima da grande mesa.

Passou um pouco de tempo; Gregor jazia ali, extenuado, em torno estava silencioso, talvez isso fosse um bom sinal. Então soou a campainha. A empregada, naturalmente, estava encerrada na sua cozinha e por isso Grete precisava ir abrir. O pai tinha chegado.

— O que aconteceu? — foram suas primeiras palavras; a aparência de Grete sem dúvida havia denunciado tudo.

Grete respondeu com voz abafada, obviamente comprimia o rosto no peito do pai.

— A mãe desmaiou, mas agora já está melhor. Gregor escapou.

— Eu já esperava — disse o pai. — Eu sempre disse isso a vocês, mas vocês mulheres não quiseram me ouvir.

Para Gregor era evidente que o pai havia interpretado mal a comunicação demasiado breve de Grete e assumido que Gregor era culpado de algum ato de violência. Por isso ele agora precisava aplacar o pai, pois não tinha tempo nem possibilidade de esclarecê-lo. E assim se refugiou junto à porta do seu quarto, apertando-se contra ela, para que o pai, ao entrar — vindo da antessala —, pudesse logo ver que Gregor tinha a melhor intenção de voltar imediatamente ao seu quarto, e que não era necessário tocá-lo para lá, mas apenas abrir a porta para que ele num instante desaparecesse.

Mas o pai não estava num estado de ânimo capaz de notar essas sutilezas.

— Ah! — exclamou logo à entrada, num tom de quem está ao mesmo tempo furioso e contente.

Gregor recuou a cabeça da porta e ergueu-a na direção do pai. Realmente não o tinha imaginado assim como ele ali estava; seja como for, absorvido nos últimos tempos pela novidade de rastejar, deixara de se ocupar como antes com os acontecimentos no resto da casa e na verdade precisaria estar preparado para encontrar as coisas mudadas. Apesar disso, apesar disso — era aquele ainda o seu pai? O mesmo homem que costumava ficar enterrado na cama, exausto, quando Gregor partia para uma viagem de negócios; que nas noites de regresso o recebia de roupão na cadeira de braços; que era absolutamente incapaz de se levantar, apenas erguendo os braços em sinal de alegria, e que nos raros passeios de família, em alguns domingos do ano e nos feriados principais, caminhava com esforço entre Gregor e a mãe — que por si sós já andavam devagar — um pouco mais devagar ainda, embrulhado no seu velho casaco, apoiando-se sempre com cuidado na muleta e que, quando queria dizer alguma coisa, quase sempre parava e reunia em torno de si os acompanhantes? Agora porém ele estava muito ereto, vestido com um uniforme azul justo, de botões dourados, como usam os contínuos de instituições bancárias; sobre o colarinho alto e duro do casaco se desdobrava o forte queixo duplo; sob as sobrancelhas cerradas os olhos escuros emitiam olhares vívidos e atentos; o cabelo branco, outrora desgrenhado, estava penteado com uma risca escrupulosamente exata e luzidia. Atirou o quepe — no qual estava gravado um monograma dourado, provavelmente de um banco — até o canapé, descrevendo um arco por todo o quarto, e caminhou para Gregor, o rosto irascível, as mãos nos bolsos das calças, as abas do comprido casaco do uniforme atiradas para trás. Certamente ele mesmo não sabia o que estava querendo; de qualquer modo, levantava os pés a uma altura incomum e Gregor ficou espantado com o tamanho gigantesco das solas das suas botas. Mas não ficou nisso, já sabia desde o primeiro dia da sua nova vida que, diante dele, o pai só considerava adequada a severidade extrema. E assim correu na frente do pai, parando quando ele se detinha e se apressando de novo apenas o pai se movia. Deram assim várias voltas pelo quarto sem que nada de decisivo acontecesse, na realidade sem que tudo aquilo tivesse a aparência de uma perseguição, em vista da velocidade lenta. Por causa disso, Gregor permaneceu provisoriamente no chão, sobretudo temendo que o pai pudesse considerar uma maldade especial uma fuga pelas paredes e pelo teto. Seja como for, precisou admitir a si próprio que não poderia aguentar essa corrida por muito tempo, pois enquanto o pai dava um passo, ele tinha de realizar inúmeros movimentos. A falta de fôlego começou a se fazer notar, uma vez que, mesmo nos velhos tempos, não tinha um pulmão inteiramente confiável. Enquanto cambaleava de cá para lá, quase não mantinha os olhos abertos, a fim de reunir todas as forças para a corrida; no seu torpor não pensava em outra maneira de se salvar senão correndo; e tinha quase esquecido que as paredes estavam à sua disposição, embora aqui elas permanecessem obstruídas por móveis cuidadosamente talhados, cheios de recortes e pontas — quando nesse momento alguma coisa, atirada de leve, voou bem ao seu lado e rolou diante dele. Era uma maçã; a segunda passou voando logo em seguida por ele; Gregor ficou paralisado de susto; continuar correndo era inútil, pois o pai tinha decidido bombardeá-lo. Da fruteira em cima do bufê ele havia enchido os bolsos de maçãs e, por enquanto sem mirar direito, as atirava uma a uma. As pequenas maçãs vermelhas rolavam como que eletrizadas pelo chão e batiam umas nas outras. Uma maçã atirada sem força raspou as costas de Gregor mas escorregou sem causar danos. Uma que logo se seguiu, pelo contrário, literalmente penetrou nas costas dele; Gregor quis continuar se arrastando, como se a dor surpreendente e inacreditável pudesse passar com a mudança de lugar; mas ele se sentia como se estivesse pregado no chão e esticou o corpo numa total confusão de todos os sentidos. Com o último olhar ainda viu a porta do seu quarto ser escancarada e a mãe se precipitar de combinação à frente da irmã que gritava; pois a irmã a tinha aliviado das roupas para permitir que ela respirasse com liberdade enquanto estava desacordada; viu-a correr ao encontro do pai e no caminho caírem ao chão, uma a uma, as saias desapertadas; e viu quando ela, tropeçando nas saias, chegou até o lugar onde o pai estava e, abraçando-o, em completa união com ele — mas nesse momento a vista de Gregor já falhava —, pediu, com as mãos na nuca do pai, que ele poupasse a vida de Gregor.

III

O grave ferimento de Gregor, que o fez sofrer mais de um mês — a maçã ficou alojada na carne como uma recordação visível, já que ninguém ousou removê-la —, parecia ter lembrado ao pai que Gregor, a despeito de sua atual figura triste e repulsiva, era um membro da família que não podia ser tratado como um inimigo, mas diante do qual o mandamento do dever familiar impunha engolir a repugnância e suportar, suportar e nada mais.

E embora por causa da ferida Gregor agora tivesse perdido, provavelmente para sempre, algo da sua mobilidade e no momento precisasse de longos, longos minutos para atravessar o quarto, como um velho inválido de guerra — rastejar pelo alto estava fora de cogitação —, ele recebeu, por essa deterioração do seu estado, uma compensação a seu ver inteiramente satisfatória, no sentido de que todos os dias ao anoitecer a porta para a sala de estar, que uma ou duas horas antes costumava observar atentamente, era aberta de tal forma que, deitado na escuridão do seu quarto, invisível da sala de estar, ele podia ver a família toda à mesa iluminada e escutar suas conversas, de certo modo com a permissão geral, ou seja, de uma maneira totalmente diversa da anterior.

Sem dúvida não eram mais as conversas animadas dos velhos tempos, nas quais Gregor sempre pensava com alguma nostalgia quando, nos pequenos quartos de hotel, tinha de se atirar cansado à cama úmida. Agora as coisas só aconteciam na maioria das vezes com muita quietude. Logo depois do jantar o pai adormecia na sua cadeira; a mãe e a irmã concitavam uma a outra ao silêncio; a mãe, muito curvada sob a luz, costurava finas roupas de baixo para uma loja de modas; a irmã, que tinha aceito um emprego como vendedora, à noite estudava estenografia e francês para conseguir talvez mais tarde um posto melhor. Às vezes o pai acordava e, como se não soubesse absolutamente que tinha dormido, dizia para a mãe:

— Quanto tempo você está costurando outra vez hoje!

E adormecia de novo, enquanto mãe e filha sorriam cansadas uma para a outra.

Com uma espécie de obstinação, o pai se recusava a tirar mesmo em casa o uniforme de funcionário; e enquanto o roupão pendia inútil do cabide ele cochilava na sua cadeira inteiramente vestido, como se estivesse sempre pronto para o serviço e aguardasse também aqui a voz do superior. Em vista disso o uniforme, que desde o início não era novo, perdeu o asseio, apesar de todo o cuidado da mãe e da irmã; e frequentemente Gregor olhava durante serões inteiros para aquela roupa coberta de manchas e lustrosa nos seus botões dourados sempre polidos, com a qual o velho dormia de um jeito extremamente incômodo, mas apesar disso tranquilo.

Assim que o relógio batia dez horas a mãe, com leves exortações, tentava acordar e depois persuadir o pai a ir para a cama, pois ali não era lugar para o sono certo de que ele tinha extrema necessidade, pois precisava entrar no serviço às seis horas. Mas, na obstinação que o havia tomado desde que era funcionário, insistia sempre em ficar à mesa mais tempo, embora adormecesse regularmente e além disso só com o maior esforço pudesse depois ser convencido a trocar a cadeira pela cama. Então, por mais que a mãe e a irmã, com pequenas admoestações, o forçassem, ele sacudia a cabeça devagar, durante um quarto de hora, conservava os olhos fechados e não se levantava. A mãe o puxava pela manga, dizia-lhe palavras de carinho ao ouvido, a irmã punha de lado a lição para ajudar a mãe, mas isso não adiantava. Ele afundava ainda mais na sua cadeira. Só quando as mulheres o agarravam por baixo dos braços é que ele abria os olhos e fitava alternadamente a mãe e a irmã, momento em que costumava dizer:

— Isto sim é que é vida. Este é o descanso dos meus dias de velhice.

E apoiado nas duas mulheres erguia-se penosamente, como se para si mesmo fosse o fardo maior de todos, deixando-se levar por elas até a porta, onde as despachava com um aceno e prosseguia sozinho, enquanto a mãe depunha o mais rápido possível seus instrumentos de costura e a irmã sua caneta para correrem atrás dele e continuarem a servi-lo.

Quem nessa família sobrecarregada e exausta tinha tempo para se ocupar de Gregor mais que o absolutamente necessário? A economia doméstica tornou-se cada vez mais restrita; a empregada foi afinal despedida; uma faxineira imensa, ossuda, de cabelo branco esvoaçando em volta da cabeça, vinha de manhã e à noitinha para fazer o trabalho mais pesado; a mãe cuidava do resto, além de toda a costura. Aconteceu até que diversas joias da família, que a mãe e a irmã antes tinham usado com o maior dos júbilos em festas e solenidades, foram vendidas, como Gregor ficou sabendo uma noite ao ouvir a discussão geral sobre os preços alcançados. Mas a maior de todas as queixas era sempre o fato de que não se podia deixar o apartamento — grande demais para as atuais necessidades —, uma vez que não era possível imaginar como Gregor seria removido. Gregor porém logo compreendeu que não era apenas a consideração para com ele que impedia uma mudança, já que poderia ser facilmente transportado numa caixa adequada com alguns furos de ventilação; o que detinha a família de uma troca de casa era principalmente a total falta de esperança e o pensamento de que tinha sido atingida por uma desgraça como mais ninguém em todo o círculo de parentes e conhecidos. O que o mundo exigia de gente pobre, eles cumpriam até o ponto extremo: o pai ia buscar o café da manhã para os pequenos funcionários do banco, a mãe se sacrificava pelas roupas de baixo de pessoas estranhas, a irmã corria de lá para cá atrás do balcão ao comando dos fregueses, mas as energias da família não iam mais longe que isso. E a ferida nas costas de Gregor começou a doer de novo, como se fosse recente, quando, depois de terem ido levar o pai para a cama, mãe e irmã voltaram, puseram de lado o trabalho, aproximaram suas cadeiras e ficaram sentadas já de rosto colado — instante em que a mãe, apontando para o quarto de Gregor, disse:

— Feche aquela porta, Grete.

Aí Gregor ficou outra vez no escuro, enquanto do outro lado da porta as mulheres misturavam suas lágrimas ou fitavam a mesa com os olhos secos.

Gregor passava as noites e os dias quase completamente sem sono. Às vezes pensava em reassumir os assuntos da família, exatamente como antes, na próxima vez em que a porta se abrisse; nos seus pensamentos apareceram de novo, depois de muito tempo, o chefe e o gerente, os caixeiros e os aprendizes, o contínuo tão obtuso, dois, três amigos de outras firmas, uma arrumadeira de um hotel do interior — recordação agradável e passageira —, uma moça que trabalhava na caixa de uma loja de chapéus que ele tinha cortejado seriamente mas devagar demais; todos eles surgiram entremeados com estranhos ou pessoas já esquecidas, mas, em vez de o ajudarem e à família, estavam sem exceção inacessíveis, e ele ficou feliz quando desapareceram. Mas depois ele já não estava mais com ânimo algum para cuidar da família, sentia-se simplesmente cheio de ódio pelo mau tratamento e, embora não pudesse imaginar nada que lhe despertasse o apetite, fazia no entanto planos sobre como poderia chegar à despensa para ali pegar tudo o que lhe era devido, mesmo que não tivesse fome. Agora, sem pensar mais no que pudesse agradar a Gregor, a irmã, antes de correr de manhã e ao meio-dia rumo à loja, empurrava com o pé para dentro do quarto, na maior pressa, uma comida qualquer, para ao anoitecer, não importa se esta tinha sido apreciada ou — caso mais frequente — sequer tocada, arrastá-la para fora com uma vassourada. A arrumação do quarto, que ela agora providenciava sempre à noite, não podia ser feita com maior rapidez. Estrias de sujeira percorriam as paredes, aqui e ali havia novelos de pó e lixo. Nos primeiros tempos, à chegada da irmã, Gregor se colocava em cantos que indicavam isso de modo especial, para com essa posição de certa maneira censurá-la. Mas teria certamente podido ficar ali semanas inteiras sem que ela tivesse se corrigido; Grete via a sujeira exatamente como ele, mas havia decidido deixá-la. Ao mesmo tempo, com uma suscetibilidade que nela era totalmente nova, e que na verdade acometera a família toda, velava para que lhe ficasse reservada a arrumação do quarto de Gregor. Certa vez a mãe submeteu o quarto a uma grande limpeza, que só conseguiu fazer depois de usar alguns baldes de água — de qualquer modo o excesso de umidade molestou Gregor também, que ficou deitado no canapé, largo, amargurado, imóvel —, mas o castigo da mãe não demorou. Pois ao anoitecer, mal tinha notado a alteração no quarto de Gregor, a irmã, ofendida ao extremo, correu até a sala de estar e, a despeito das mãos da mãe erguidas em súplica, rompeu num acesso de choro, ao qual no início os pais — naturalmente o pai tinha pulado de susto de sua cadeira — assistiram perplexos e sem saber o que fazer; até que também começaram a se tocar; o pai censurava, à direita, a mãe por não ter deixado a limpeza para a irmã; à esquerda, pelo contrário, vociferava que a irmã nunca mais podia limpar o quarto de Gregor; ao passo que a mãe tentava arrastar o pai, que já não sabia onde estava de tanta excitação, para o quarto de dormir; a irmã, sacudida por soluços, batia os pequenos punhos na mesa; e Gregor, cheio de raiva, sibilava alto, porque não tinha ocorrido a ninguém fechar a porta e poupá-lo desse espetáculo e desse barulho.

Mas ainda que a irmã, exausta do trabalho profissional, estivesse saturada de cuidar de Gregor como antigamente, de modo algum teria sido necessário que a mãe ficasse no seu lugar e Gregor não precisaria ser negligenciado. Pois agora havia a faxineira. Essa velha viúva, que na sua longa vida devia ter suportado as piores coisas com a ajuda de uma forte construção óssea, não tinha propriamente repulsa por Gregor. Sem que fosse de algum modo curiosa, uma vez ela havia aberto casualmente a porta do quarto dele e, à vista de Gregor — que, tomado de total surpresa, embora ninguém o perseguisse, começou a correr de lá para cá —, ficou parada, admirando, com as mãos cruzadas no colo. Desde então, de manhã e à noitinha, nunca perdia a oportunidade de abrir um pouco a porta e espiar rapidamente Gregor. No começo ela também o chamava ao seu encontro, com palavras que provavelmente considerava amistosas, como "venha um pouco aqui, velho bicho sujo!" ou "vejam só o velho bicho sujo!". A chamados desse tipo Gregor não respondia nada, mas ficava imóvel no seu lugar, como se a porta não tivesse sido aberta. Se em vez de deixar essa faxineira perturbá-lo inutilmente, segundo o capricho do momento, eles tivessem ordenado que ela limpasse todos os dias o seu quarto! Certa vez, de manhã cedo — uma chuva violenta batia nas vidraças, talvez já um sinal da primavera que chegava —, quando a faxineira começou de novo a usar suas expressões, Gregor ficou tão exasperado que, embora lento e débil, se voltou para ela, como que preparado para o ataque. Mas a faxineira, ao invés de sentir medo, simplesmente ergueu para o alto uma cadeira que se achava perto da porta e, pela maneira como ficou ali, a boca bem aberta, mostrou claramente a intenção de só fechá-la quando a cadeira na sua mão tivesse desabado sobre as costas de Gregor.

— E então, não vai continuar? — perguntou, enquanto Gregor se virava outra vez e ela recolocava a cadeira calmamente no canto.

Agora Gregor não comia quase mais nada. Só quando por acaso passava pela comida posta para ele é que mordia por brincadeira um bocado, conservava a porção na boca durante horas e depois, na maioria das vezes, a cuspia fora. Pensou a princípio que era a tristeza pelo estado do seu quarto que o impedia de comer, mas foi justamente com as mudanças ocorridas nele que se reconciliou bem cedo. Haviam se habituado a introduzir naquele quarto as coisas que não se podia colocar em outro lugar, e existia um monte delas ali, já que um quarto do apartamento fora alugado a três inquilinos. Estes senhores sisudos — os três tinham barba cheia, como uma vez Gregor verificou por uma fresta da porta — eram obcecados pela ordem não só no seu quarto, mas também — uma vez que haviam se mudado para lá — na casa inteira, principalmente na cozinha. Não suportavam tralha inútil, muito menos suja. Além disso haviam trazido, em sua maior parte, o próprio mobiliário. Por esse motivo tinham se tornado supérfluas muitas coisas que na verdade não se podia vender, mas que também não se queria jogar fora. Todas elas migraram para o quarto de Gregor — mesmo a lata de cinzas e a lata de lixo da cozinha. Agora a faxineira, que estava sempre com muita pressa, simplesmente arremessava ao quarto de Gregor o que não era usado no momento; felizmente Gregor via, na maioria dos casos, o objeto em questão e a mão que o segurava. Talvez a faxineira tivesse a intenção de pegar as coisas de novo, conforme o tempo e a ocasião, ou então de atirar todas elas fora de uma só vez; mas o fato é que elas permaneciam no lugar onde tinham sido atiradas — isso quando Gregor não se locomovia no meio do entulho e as punha em movimento, a princípio forçado, porque não havia nenhum outro espaço para rastejar, mais tarde porém com satisfação crescente, embora depois dessas caminhadas, triste e morto de cansaço, não se movesse novamente durante horas.

Visto que os inquilinos jantavam às vezes em casa, na sala de estar comum, a porta desta ficava fechada várias noites, mas Gregor renunciou com grande facilidade à porta aberta; ele não a tinha usado já diversas noites em que ela havia permanecido assim, pois, sem que a família percebesse, ficara deitado no canto mais escuro do seu quarto. Uma vez no entanto a faxineira deixara a porta para a sala de estar entreaberta — e assim ela continuou mesmo quando os inquilinos entraram à noite e a luz foi acesa. Eles sentaram-se à cabeceira da mesa, onde antigamente o pai, a mãe e Gregor comiam, desdobraram os guardanapos e empunharam a faca e o garfo. Imediatamente a mãe apareceu à porta com uma travessa de carne e logo atrás dela a irmã com uma travessa de batatas empilhadas alto. A comida soltava um vapor forte. Os inquilinos inclinaram-se sobre as travessas colocadas à sua frente, como se quisessem examiná-la antes de comer, e efetivamente o senhor que estava sentado no meio e parecia valer como autoridade para os outros dois cortou um pedaço de carne ainda na travessa, sem dúvida para verificar se ela estava suficientemente mole ou se acaso não devia ser mandada de volta à cozinha. Ficou satisfeito, e a mãe e a irmã, que haviam observado ansiosas, começaram a sorrir, respirando com alívio.

A família mesmo ia comer na cozinha. Apesar disso o pai, antes de se dirigir à cozinha, entrou na sala, fez uma única inclinação de corpo e deu uma volta em torno da mesa com o quepe na mão. Os inquilinos levantaram-se todos ao mesmo tempo e murmuraram alguma coisa dentro das suas barbas. Quando depois ficaram a sós, comeram num silêncio quase total. Pareceu estranho a Gregor que, em meio a todos os múltiplos ruídos do ato de comer, se destacasse continuamente o som dos dentes mastigando, como se com isso quisessem mostrar a ele que era preciso ter dentes para comer e que mesmo com as mais belas mandíbulas sem dentes não se podia fazer nada.

— Eu tenho apetite, sim — disse Gregor a si mesmo, preocupado —, mas não por essas coisas. Como se alimentam esses inquilinos, e eu aqui morrendo!

Exatamente nessa noite — Gregor não se lembrava de tê-lo ouvido durante todo aquele tempo — o violino soou na cozinha. Os inquilinos já tinham terminado o jantar, o senhor do meio havia puxado um jornal, dado a cada um dos outros uma folha, e os três liam e fumavam recostados nas cadeiras. Quando o violino começou a tocar, eles prestaram atenção, se levantaram e foram na ponta dos pés até a porta da antessala, junto à qual pararam espremidos um contra o outro. Deviam tê-los ouvido da cozinha, pois o pai bradou:

— Por acaso a música incomoda os senhores? Ela pode ser imediatamente interrompida.

— Pelo contrário — disse o senhor do meio. — Será que a senhorita não gostaria de vir até nós e tocar aqui na sala, onde é muito mais cômodo e confortável?

— Oh, pois não — exclamou o pai, como se fosse ele o violinista.

Os inquilinos voltaram para a sala e ficaram esperando. Logo chegou o pai com a estante da partitura e a irmã com o violino. Ela preparou tudo tranquilamente para tocar; os pais, que nunca antes haviam alugado quartos e por isso exageravam na gentileza com os inquilinos, não ousaram sentar-se nas suas próprias cadeiras; o pai se inclinou sobre a porta, a mão direita enfiada entre dois botões do casaco do uniforme, que ele conservava fechado; mas um dos senhores ofereceu à mãe uma cadeira e ela ficou sentada à parte, num canto da sala, por ter deixado a cadeira no lugar onde o senhor a havia posto.

A irmã começou a tocar; o pai e a mãe, cada um do seu lado, acompanharam atentamente os movimentos das suas mãos. Atraído pela música, Gregor tinha ousado avançar um pouco e já estava com a cabeça dentro da sala de estar. Dificilmente o surpreendia o fato de que nos últimos tempos levava os outros tão pouco em conta; essa consideração tinha sido, antes, o seu orgulho. E no entanto justamente agora ele deveria ter mais motivo para se esconder, pois por causa do pó, que se depositava em toda parte no seu quarto, e que ao menor movimento voava em volta, ele também estava todo coberto de poeira; sobre as costas e pelos lados arrastava consigo fios, cabelos, restos de comida; sua indiferença diante de tudo era grande demais para que, como antes, tivesse ficado de costas e se esfregado no tapete várias vezes durante o dia. E a despeito desse estado não teve pejo de se adiantar um pouco sobre o assoalho imaculado da sala de estar.

Seja como for ninguém prestava atenção nele. A família estava completamente absorvida pelo violino; os inquilinos, ao contrário, que a princípio haviam se colocado, as mãos nos bolsos das calças, perto demais da irmã, atrás da estante da partitura, de tal modo que todos eles poderiam ver as notas, o que certamente devia perturbar a irmã, logo retrocederam até a janela, as cabeças baixas, conversando a meia voz, e ali permaneceram, ansiosamente observados pelo pai. Realmente isso agora tinha a aparência mais que nítida de que estavam decepcionados na sua expectativa de ouvir uma música de violino bonita ou capaz de entreter — de que estavam saturados de toda a apresentação e só por polidez ainda se deixavam perturbar no seu sossego. Especialmente o modo como sopravam para o alto a fumaça dos seus charutos pelo nariz e pela boca permitia deduzir o grande nervosismo deles. E no entanto a irmã tocava com tanta beleza! O rosto dela estava inclinado para o lado, seus olhares seguiam perscrutadores e tristes as linhas da partitura. Gregor rastejou mais um trecho à frente, mantendo o corpo rente ao chão, para se possível captar os seus olhos. Era ele um animal, já que a música o comovia tanto? Era como se lhe abrisse o caminho para o alimento almejado e desconhecido. Estava decidido a chegar até a irmã, puxá-la pela saia e com isso indicar que ela devia ir ao seu quarto com o violino, pois ninguém aqui apreciava sua música como ele desejava fazer. Não queria mais deixá-la sair do quarto, pelo menos não enquanto ele vivesse; pela primeira vez sua figura assustadora deveria tornar-se útil; queria estar em todas as portas do seu quarto ao mesmo tempo e bufar contra os agressores; mas a irmã não deveria ficar com ele coagida, e sim voluntariamente; deveria permanecer ao seu lado, sentada no canapé, baixar o ouvido até ele, quando então ele confiaria a ela que tivera a firme intenção de mandá-la ao conservatório e que, se nesse meio-tempo não houvesse acontecido a desgraça, teria contado isso a todos no Natal passado — será mesmo que o Natal já tinha passado? — sem se preocupar com quaisquer objeções. Depois dessa explicação, a irmã romperia em lágrimas de comoção e Gregor se levantaria até o seu ombro e beijaria o seu pescoço, que ela conservava sem fita ou colar desde que entrara na loja.

— Senhor Samsa! — bradou para o pai o inquilino do meio e com o indicador, sem perder mais uma palavra, mostrou Gregor, que se movia lentamente para a frente.

O violino emudeceu, o inquilino do meio primeiro sorriu para os seus amigos, balançando a cabeça, e depois olhou para Gregor outra vez. O pai parecia ter considerado mais urgente acalmar os inquilinos do que expulsar Gregor; estes entretanto não estavam nem um pouco agitados e davam a impressão de que Gregor os entretinha mais que o violino. Correu até eles e procurou, com os braços esticados, forçá-los a ir para o quarto, ao mesmo tempo que tentava com o corpo tirar-lhes a visão de Gregor. Então eles ficaram de fato um pouco bravos, não se sabia mais se com o comportamento do pai ou com o conhecimento — que agora lhes vinha à consciência — de terem, sem saber, possuído um vizinho de quarto como Gregor. Exigiram explicações do pai, ergueram por seu turno os braços, puxaram a barba intranquilos e só lentamente recuaram na direção do seu quarto. Nesse ínterim a irmã tinha superado o desligamento em que havia caído após a apresentação bruscamente interrompida; depois de ter ficado algum tempo com o violino e o arco nas mãos que pendiam lassas, e de ter olhado para a partitura como se ainda estivesse tocando, ela havia se recomposto de um só golpe, colocado o instrumento no colo da mãe, que ainda estava sentada na sua cadeira com dificuldades de respiração e os pulmões trabalhando freneticamente, e correra para o quarto ao lado, do qual os inquilinos, sob a pressão do pai, já se aproximavam mais rapidamente que antes. Podia-se ver como, sob as mãos experientes da irmã, voavam para o alto e se ordenavam os cobertores e travesseiros nas camas. Antes ainda que os inquilinos tivessem chegado ao quarto, ela havia terminado a arrumação das camas e se esgueirado para fora. O pai parecia outra vez acometido de tal modo da sua obstinação que esqueceu todo o respeito que ainda devia aos seus inquilinos. Pressionou, pressionou, até que, já na porta do quarto, o inquilino do meio bateu atroadoramente o pé no chão e dessa maneira fez o pai parar.

— Declaro por este meio — disse ele, erguendo a mão e procurando também a mãe e a irmã com o olhar — que eu, levando em conta as condições repulsivas reinantes nesta casa e nesta família — aqui ele cuspiu no chão, rápido e decidido —, rescindo neste momento a locação do meu quarto. Naturalmente não vou pagar o mínimo que seja nem pelos dias que aqui passei; pelo contrário, vou ainda refletir se não movo contra o senhor alguma ação com reivindicações que serão — acredite-me — muito fáceis de fundamentar.

Silenciou e olhou para a frente, como se esperasse alguma coisa. De fato seus dois amigos intervieram imediatamente com as palavras:

— Nós também rescindimos neste momento a locação.

Depois disso, agarrou a maçaneta da porta e fechou-a com um estrondo.

O pai, com as mãos tateantes, vacilou até a sua cadeira e se deixou cair nela; parecia que esticava o corpo para a soneca habitual do anoitecer, mas o forte balanço da cabeça — como se ela tivesse perdido a sustentação — mostrava que ele de modo algum dormia. Durante todo esse tempo Gregor esteve deitado no lugar onde os inquilinos o haviam surpreendido. A decepção com o malogro do seu plano, mas talvez a fraqueza causada por muita fome, tornavam impossível que ele se movesse. Com uma certa clareza, temia já para o instante seguinte uma avalanche geral descarregada em cima dele e ficou aguardando. Não o sobressaltou nem mesmo o violino que, entre as mãos trêmulas da mãe, caiu do seu colo e emitiu um som retumbante.

— Queridos pais — disse a irmã e como introdução bateu com a mão na mesa —, assim não pode continuar. Se vocês acaso não compreendem, eu compreendo. Não quero pronunciar o nome do meu irmão diante desse monstro e por isso digo apenas o seguinte: precisamos tentar nos livrar dele. Procuramos fazer o que é humanamente possível para tratá-lo e suportá-lo e acredito que ninguém pode nos fazer a menor censura.

— Ela tem mil vezes razão — disse o pai consigo mesmo.

A mãe, que ainda não podia respirar direito, começou a tossir, em som surdo, na mão espalmada, com uma expressão alucinada nos olhos.

A irmã correu até a mãe e segurou-lhe a testa. O pai, que através da irmã parecia ter chegado a pensamentos mais definidos, havia se sentado em posição ereta e ficou brincando com o quepe de funcionário entre os pratos do jantar dos inquilinos que ainda jaziam sobre a mesa; de vez em quando olhava para Gregor, que estava quieto.

— Precisamos tentar nos livrar *disso* — disse então a irmã exclusivamente ao pai, pois a mãe não ouvia nada com a tosse. — Isso ainda vai matar a ambos, eu vejo esse momento chegando. Quando já se tem de trabalhar tão pesado, como todos nós, não é possível suportar em casa mais esse eterno tormento. Eu não aguento mais.

E rompeu no choro tão violentamente que suas lágrimas escorreram sobre o rosto da mãe, que as limpava com movimentos mecânicos de mão.

— Filha — disse o pai, compassivo e com evidente compreensão. — Mas o que devemos fazer?

A irmã apenas sacudiu os ombros como sinal da desorientação que a havia possuído durante o choro, em contraste com a segurança de antes.

— Se ele nos entendesse — disse o pai, meio que perguntando; no meio do choro a irmã sacudiu freneticamente a mão para mostrar que não se podia pensar nisso.

— Se ele nos entendesse — repetiu o pai e com um fechar de olhos acolheu a convicção da irmã sobre essa impossibilidade — então talvez fosse possível um acordo com ele. Mas assim...

— É preciso que isso vá para fora — exclamou a irmã —, é o único meio, pai. Você simplesmente precisa se livrar do pensamento de que é Gregor. Nossa verdadeira infelicidade é termos acreditado nisso até agora. Mas como é que pode ser Gregor? Se fosse Gregor, ele teria há muito tempo compreendido que o convívio de seres humanos com um bicho assim não é possível e teria ido embora voluntariamente. Nesse caso não teríamos irmão, mas poderíamos continuar vivendo e honrar a sua memória. Mas como está, esse bicho nos persegue, expulsa os inquilinos, quer certamente ocupar o apartamento todo e nos fazer pernoitar na rua. Veja, pai — gritou de repente —, ele já começa de novo!

E num susto inteiramente incompreensível para Gregor, a irmã abandonou até a mãe, literalmente disparou da sua cadeira, como se preferisse sacrificar a mãe a ficar perto de Gregor, e correu para trás do pai, que excitado tão só pelo seu comportamento também se levantou e diante dela ergueu os braços pela metade, como que para proteger a irmã.

Mas Gregor não tinha a menor intenção de causar medo a ninguém, muito menos à irmã. Simplesmente havia começado a girar o corpo para voltar ao seu quarto e isso de qualquer modo chamava a atenção, uma vez que, em consequência do seu estado enfermiço, precisava, na difícil manobra, ajudar com a cabeça, que ele levantava várias vezes e batia contra o chão. Parou e olhou em torno. Sua boa intenção parecia ter sido reconhecida; tinha sido apenas um susto momentâneo. Agora todos o fitavam silenciosos e tristes. A mãe jazia na sua cadeira com as pernas esticadas e coladas uma à outra, os olhos quase fechados de esgotamento; o pai e a irmã estavam sentados lado a lado, a irmã havia colocado a mão em volta do pescoço do pai.

— Agora talvez eu já possa me virar — pensou Gregor e recomeçou o seu trabalho.

Não podia reprimir o resfolegar do esforço e aqui e ali precisava repousar. De resto ninguém o pressionava, tinham-no deixado fazer tudo sozinho. Quando havia completado a volta, começou imediatamente a retornar ao quarto em linha reta. Admirou-se com a grande distância que o separava do seu quarto e não entendia absolutamente como, apesar da fraqueza, tinha havia pouco tempo percorrido, quase sem o perceber, o mesmo caminho. Sempre às voltas com o pensamento de rastejar rápido, mal prestou atenção ao fato de que nenhuma palavra, nenhum chamado da sua família o perturbava. Só quando já estava na porta ele virou a cabeça, mas não completamente, pois sentia o pescoço endurecer; no entanto ainda viu que atrás dele nada se alterara, apenas a irmã tinha se levantado. Seu último olhar percorreu a mãe, que estava agora completamente adormecida.

Mal estava dentro do seu quarto, quando a porta foi batida na maior pressa, travada e fechada a chave. Gregor assustou-se tanto com o súbito barulho atrás dele que suas perninhas se dobraram. Era a irmã que havia se apressado assim. Ela já tinha se levantado lá na sala e esperado; depois, com os pés leves, havia saltado para a frente — Gregor não tinha de modo algum podido escutá-la — e, girando a chave na fechadura, gritado para os pais:

— Finalmente!

— E agora? — pensou Gregor consigo mesmo e olhou ao redor na escuridão.

Logo descobriu que não podia absolutamente mais se mexer. Não se admirou com esse fato, pareceu-lhe antes pouco natural que até agora tivesse conseguido se movimentar com aquelas perninhas finas. No restante sentia-se relativamente confortável. Na realidade tinha dores no corpo todo, mas para ele era como se elas fossem ficar cada vez mais fracas e finalmente desaparecer por completo. A maçã apodrecida nas suas costas e a região inflamada em volta, inteiramente cobertas por uma poeira mole, quase não o incomodavam. Recordava-se da família com emoção e amor. Sua opinião de que precisava desaparecer era, se possível, ainda mais decidida que a da irmã. Permaneceu nesse estado de meditação vazia e pacífica até que o relógio da torre bateu a terceira hora da manhã. Ele ainda vivenciou o início do clarear geral do dia lá do lado de fora da janela. Depois, sem intervenção da sua vontade, a cabeça afundou completamente e das suas ventas fluiu fraco o último fôlego.

Quando a faxineira chegou de manhã cedo — a partir da sua chegada não era mais possível nenhum sono tranquilo na casa inteira, tal a força e a pressa com que batia todas as portas, por mais que lhe tivessem pedido que evitasse fazer isso —, ela não descobriu, a princípio, nada de especial na sua curta e costumeira visita a Gregor. Pensou que ele estava deitado ali premeditadamente imóvel e que fazia o papel de ofendido, pois lhe creditava todo o entendimento possível. Por estar casualmente segurando na mão a comprida vassoura, tentou, da porta, fazer cócegas com ela em Gregor. Quando isso também não deu resultado, ficou irritada, espetou Gregor um pouco e só depois que o havia empurrado do lugar sem achar resistência é que prestou mais atenção. Ao reconhecer a verdade dos fatos arregalou os olhos, deu um assobio, mas não se deteve muito tempo: escancarou a porta do quarto de dormir e bradou em voz alta para dentro do escuro:

— Venham só ver uma coisa, ele empacotou; está lá empacotado de uma vez!

O casal Samsa ficou sentado no leito conjugal fazendo um esforço para superar o susto com a faxineira antes que chegassem a entender o que ela comunicava. Mas depois o senhor e a senhora Samsa, cada um do seu lado, desceram da cama o mais rápido possível; o senhor Samsa atirou sobre os ombros o cobertor, a senhora Samsa saiu só de camisola e assim entraram no quarto de Gregor. Nesse meio-tempo tinha sido também aberta a porta da sala de estar, na qual Grete dormia desde a entrada dos inquilinos; estava completamente vestida, como se não tivesse dormido nada; o rosto pálido parecia comprová-lo.

— Morto? — disse a senhora Samsa e ergueu os olhos

interrogativamente para a faxineira, embora pudesse verificar por si mesma e até reconhecer tudo sem verificação.

— É o que estou tentando dizer — disse a faxineira e para provar empurrou o cadáver de Gregor com a vassoura mais um longo trecho para o lado.

A senhora Samsa esboçou um movimento, como se quisesse deter a vassoura, mas não o fez.

— Bem — disse o senhor Samsa —, agora podemos agradecer a Deus.

Fez o sinal da cruz e as três mulheres seguiram o seu exemplo. Grete, que não desviava o olho do cadáver, disse:

— Vejam como ele estava magro. Também já fazia muito tempo que não comia nada. Assim como entrava, a comida saía de novo.

De fato o corpo de Gregor estava completamente plano e seco, na verdade só agora se reconhecia isso, uma vez que ele já não estava erguido sobre as perninhas e nada mais distraía o olhar.

— Grete, entre um instantinho conosco — disse a senhora Samsa com um sorriso melancólico e Grete, não sem olhar para trás, na direção do cadáver, seguiu os pais até o quarto de dormir. A faxineira fechou a porta e abriu completamente a janela. Embora fosse de manhã cedo já se misturava ao ar fresco um pouco de mornidão. Afinal já era fim de março.

Os três inquilinos saíram do seu quarto e olharam perplexos ao redor, à procura do seu café da manhã; tinham-nos esquecido.

— Onde está o café da manhã? — perguntou rabugentamente à faxineira o inquilino do meio.

Mas esta pôs o dedo na boca e em seguida, apressada e sem uma palavra, acenou para que os senhores chegassem ao quarto de Gregor. Eles foram e, com as mãos nos bolsos dos seus paletós um tanto puídos, ficaram em pé à volta do cadáver de Gregor, no quarto já inteiramente iluminado.

Abriu-se então a porta do quarto de dormir e o senhor Samsa apareceu na sua libré, a esposa num braço e a filha no outro. Todos tinham o ar de quem havia chorado um pouco; de vez em quando Grete comprimia o rosto no braço do pai.

— Deixem imediatamente a minha casa! — disse o senhor Samsa e apontou para a porta, sem se afastar das mulheres.

— O que o senhor está querendo dizer com isso? — disse algo atônito o senhor do meio e sorriu docemente. Os outros dois conservavam as mãos atrás das costas e as esfregavam sem parar, como se esperassem com alegria uma grande contenda, mas que devia terminar com vantagem para eles.

— Estou querendo dizer exatamente o que afirmei — respondeu o senhor Samsa e marchou em linha cerrada com as duas acompanhantes ao encontro do inquilino. Este a princípio ficou parado olhando o chão, como se as coisas se juntassem na sua cabeça numa nova ordem.

— Bem, então nós vamos embora — disse depois e levantou os olhos para o senhor Samsa, como se, acometido de súbita humildade, pedisse de novo licença para essa decisão.

O senhor Samsa fez-lhe apenas vários acenos breves com a cabeça, os olhos bem abertos. Diante disso o inquilino caminhou efetivamente com passadas largas para a antessala; seus dois amigos, que já estavam escutando fazia algum tempo, as mãos completamente calmas, iam agora saltitando bem atrás dele, como se temessem que o senhor Samsa pudesse entrar na antessala à sua frente, interrompendo a ligação com o chefe. Na antessala os três tiraram os chapéus do cabide, puxaram suas bengalas do porta-bengalas, inclinaram-se em silêncio e deixaram o apartamento. Numa desconfiança que se mostrou completamente infundada, o senhor Samsa foi até o vestíbulo com as duas mulheres; curvados sobre o corrimão observaram os três senhores descerem a longa escada — na verdade devagar, mas continuamente —, desaparecerem em cada andar numa determinada curva da escadaria e ressurgirem alguns instantes depois; quanto mais desciam, tanto mais se perdia o interesse da família Samsa por eles, e quando um entregador de carne subiu na sua direção e passou à sua frente, escada acima, com a encomenda na cabeça, numa postura altiva, o senhor Samsa abandonou rapidamente o corrimão, junto com as mulheres, e todos voltaram, como que aliviados, ao seu apartamento.

Decidiram dedicar o dia ao repouso e ao passeio; não só mereciam, como também necessitavam absolutamente dessa interrupção no trabalho. E assim sentaram-se à mesa para escrever três cartas de desculpa, o senhor Samsa à direção do banco, a senhora Samsa ao seu empregador e Grete ao proprietário da loja. Enquanto escreviam, entrou a faxineira para dizer que ia embora, pois o seu trabalho da manhã havia terminado. A princípio os três simplesmente menearam a cabeça, sem erguer os olhos; só quando a faxineira não fez menção de se afastar é que eles olharam irritados para ela.

— E então? — perguntou o senhor Samsa.

A faxineira estava junto à porta, sorridente, como se tivesse de anunciar à família uma grande boa notícia, mas só o faria se interrogada a fundo. A pequena e reta pena de pavão em cima do seu chapéu, com a qual o senhor Samsa já se irritara durante todo o seu tempo de serviço, balançava leve em todas as direções.

— O que é que a senhora está querendo? — perguntou a senhora Samsa, pela qual a faxineira ainda tinha o máximo respeito.

— Ah, sim — respondeu a faxineira, que por causa do riso amigável não pôde continuar falando. — A senhora não precisa se preocupar com o jeito de jogar fora a coisa aí do lado. Já está tudo em ordem.

A senhora Samsa e Grete inclinaram-se sobre suas cartas, como se quisessem continuar escrevendo; o senhor Samsa, percebendo que a faxineira queria agora começar a descrever tudo em minúcia, repeliu isso decididamente com a mão esticada. Já que não tinha permissão para contar, a faxineira se lembrou de que estava com muita pressa e, obviamente ofendida, exclamou:

— Até logo para todos.

Virou-se selvagemente e deixou o apartamento em meio a um formidável bater de portas.

— Hoje à noite ela será despedida — disse o senhor Samsa, mas não obteve resposta nem da mulher, nem da filha, pois a faxineira parecia ter perturbado a tranquilidade que mal tinham reconquistado. As duas se levantaram, foram até a janela e lá ficaram, mantendo-se abraçadas. O senhor Samsa virou-se para elas da sua cadeira e ficou observando-as em silêncio por um momento. Depois bradou:

— Agora venham aqui. Parem de pensar no que passou. E tenham um pouco de consideração por mim.

As mulheres obedeceram logo, correram para ele, acariciaram-no e terminaram rápido suas cartas.

Depois os três deixaram juntos o apartamento, coisa que não faziam havia meses, e foram de bonde elétrico para o ar livre no subúrbio da cidade. O bonde em que ficaram sentados sozinhos estava totalmente iluminado pelo sol cálido. Recostados com conforto nos seus bancos, conversaram sobre as perspectivas do futuro, descobrindo que, examinadas de perto, elas não eram de modo algum más, pois os três tinham empregos muito vantajosos e particularmente promissores — sobre os quais, na verdade, nunca tinham feito perguntas pormenorizadas um ao outro. É claro que a grande melhora imediata da situação viria, facilmente, da mudança de casa; eles agora queriam um apartamento menor e mais barato, mas mais bem situado e sobretudo mais prático do que o atual, que tinha sido escolhido ainda por Gregor. Enquanto conversavam assim, ocorreu ao senhor e à senhora Samsa, quase que simultaneamente, à vista da filha cada vez mais animada, que ela — apesar da canseira dos últimos tempos, que empalidecera suas faces — havia florescido em uma jovem bonita e opulenta. Cada vez mais silenciosos e se entendendo quase inconscientemente através de olhares, pensaram que já era tempo de procurar um bom marido para ela. E pareceu-lhes como que uma confirmação dos seus novos sonhos e boas intenções quando, no fim da viagem, a irmã se levantou em primeiro lugar e espreguiçou o corpo jovem.

Cronologia

1883 3 DE JULHO Franz Kafka nasce em Praga, filho de Hermann Kafka (1852-1931) e Julie, sua esposa, *née* Löwy (1856-1934).

1885 Nascimento do irmão Georg, que morreu aos quinze meses de idade.

1887 Nascimento do irmão Heinrich, falecido aos seis meses de idade.

1889 Nascimento da irmã Gabriele ("Elli"), morta em 1941.

1890 Nascimento da irmã Valerie ("Valli"), morta em 1942.

1892 Nascimento da irmã Ottilie ("Ottla"), morta em 1943.

1901 Kafka começa a estudar direito no setor germanófono da Universidade Carolina, em Praga.

1906 Obtém o doutorado em direito e inicia um ano de estágio profissional nos tribunais de Praga.

1907 Começa a trabalhar na filial praguense da companhia de seguros Assicurazioni Generali, com sede em Trieste.

1908 Transfere-se para o Instituto de Seguros contra Acidentes do Trabalho do Reino da Boêmia, administrado pelo Estado. Primeira publicação: oito trabalhos em prosa (posteriormente incluídos no volume *Meditação*) na revista *Hyperion* de Munique.

1909 Férias com Max e Otto Brod em Riva del Garda; assistem a uma exibição aérea, acerca da qual Kafka escreve "Os aeroplanos de Brescia".

1910 Férias com Max e Otto Brod em Paris.

1911 Férias com Max e Otto Brod no norte da Itália, na Suíça e em Paris. Assiste a várias apresentações de atores iídiches em visita a Praga e trava amizade com o ator Isaak Löwy (Yitskhok Levi).

1912 Férias com Max e Otto Brod em Weimar, após as quais passa três semanas no sanatório nudista Jungborn, nas montanhas do Harz. Trabalha em *O homem que desapareceu.*

13 DE AGOSTO Primeiro contato com Felice Bauer (1887-1960), de Berlim.

22-3 DE SETEMBRO Escreve *O veredicto* em uma noite.

NOVEMBRO-DEZEMBRO Trabalha na *Metamorfose.*

DEZEMBRO Sai *Meditação*, uma coletânea de textos breves publicada por Kurt Wolff em Leipzig.

1913 Visita três vezes Felice Bauer em Berlim.

SETEMBRO Assiste a uma conferência sobre prevenção de acidentes em Viena, onde também visita rapidamente o XI Congresso Sionista. Fica em um sanatório em Riva. Publica "O foguista" (primeiro capítulo de *O desaparecido*) na série de prosa de vanguarda *O juízo final*, de Wolff.

1914 1º DE JUNHO Noivado oficial com Felice Bauer, em Berlim.

12 DE JULHO Desmancha o noivado. Férias com o romancista praguense Ernst Weiss no balneário dinamarquês de Marielyst.

AGOSTO-DEZEMBRO Escreve a maior parte de *O processo.*

OUTUBRO Redige *Na colônia penal.*

1915 O dramaturgo Carl Sternheim, laureado com o prêmio Fontane de literatura, transfere o dinheiro do prêmio para Kafka. *A metamorfose* é publicada por Wolff.

1916 Reconciliação com Felice Bauer; passam dez dias juntos no balneário de Marienbad (Mariánské Lázně). Publicação de *O veredicto* por Wolff. Trabalha nos contos posteriormente reunidos em *Um médico rural.*

1917 JULHO Junto a Felice visitam a irmã desta em Budapeste e voltam a ficar noivos.

9-10 DE AGOSTO Sofre uma hemorragia diagnosticada tuberculosa. Para convalescer, fica com a irmã Ottla em uma fazenda em Zürau (Siřem), no interior da Boêmia.

DEZEMBRO Visita de Felice Bauer; fim do noivado.

1918 MARÇO Volta a trabalhar.
NOVEMBRO Sob licença médica, hospeda-se até março de 1919 em um hotel de Schelesen (Železná).

1919 Retorno a Praga, breve noivado com Julie Wohryzek (1891-1944). Wolff publica *Na colônia penal*.

1920 Relação intensa com a tradutora tcheca Milena Polak, *née* Jesenská (1896-1944).
JULHO Fim do relacionamento com Julie Wohryzek. Publicação de *Um médico rural: pequenas narrativas*.
DEZEMBRO Novamente sob licença médica, interna-se em um sanatório de Matliary, nas montanhas Tatra, até agosto de 1921.

1921 SETEMBRO Retoma o trabalho, mas o estado de saúde obriga-o a tirar mais três meses de licença médica a partir de outubro.

1922 JANEIRO Prolonga a licença até abril; hospeda-se em um hotel montanhês em Spindlermühle (Špindlerův Mlýn).
JANEIRO-AGOSTO Escreve grande parte de *O castelo*.
1º DE JULHO Aposenta-se na companhia de seguros, passando a receber pensão.

1923 JULHO Visita Müritz, no Báltico, e conhece Dora Diamant (1898-1952).
SETEMBRO Muda-se para Berlim e passa a morar com Dora.

1924 MARÇO A deterioração da saúde o obriga a retornar a Praga e, em abril, a se internar em um sanatório nos arredores de Viena. Escreve e publica "Josefina, a cantora".
3 DE JUNHO Morre de tuberculose, um mês antes de completar 41 anos de idade.
AGOSTO Die Schmiede publica *Um artista da fome: quatro histórias*.

1925 *O processo*, editado por Max Brod, é publicado por Die Schmiede.

1926 *O castelo*, editado por Max Brod, é publicado por Wolff.

1927 *América* (agora conhecido pelo título de Kafka, *O desaparecido*), editado por Max Brod, é publicado por Wolff.

1930 *O castelo*, traduzido por Willa e Edwin Muir, é publicado por Martin Secker, em Londres — a primeira tradução inglesa de Kafka.

1939 Max Brod foge de Praga pouco antes da invasão alemã e, com os manuscritos de Kafka na mala, chega à Palestina.

1956 Brod transfere os manuscritos (com exceção dos de *O processo*) à Suíça para que fiquem em segurança.

1961 Autorizado pelos herdeiros de Kafka, o acadêmico de Oxford Malcolm Pasley leva os manuscritos para a Biblioteca Bodleian.

Sugestões de leitura

ADORNO, Theodor. *Prismas*. Trad. de Augustin Wernet e Jorge Mattos de Almeida. São Paulo, Ática, 1998.

——. "Posição do narrador no romance contemporâneo". In *Notas de literatura*. Trad. de Jorge Mattos de Almeida. São Paulo, Duas Cidades/ Editora 34, 2003.

ANDERS, Günther. *Kafka: pró & contra*. Trad. e posf. de Modesto Carone. São Paulo, CosacNaify, 2007.

CARONE, Modesto. *Lição de Kafka*. São Paulo, Companhia das Letras, 2007.

DELEUZE, Gilles; GUATTARI, Félix. *Kafka: por uma literatura menor*. Trad. de Júlio Castañon Guimarães. Rio de Janeiro, Imago, 1975.

HOLANDA, Sérgio Buarque de. *O espírito e a letra*. São Paulo, Companhia das Letras, 1996, 2 vols.

JANOUCH, Gustavo. *Conversas com Kafka*. Trad. de Celina Luz. Rio de Janeiro, Nova Fronteira, 1983.

PAWELL, Ernst. *O pesadelo da razão*. Trad. de Vera Ribeiro. Rio de Janeiro, Imago, 1986.

ROSENFELD, Anatol. *Texto/Contexto*. São Paulo, Perspectiva, 1969.

SCHWARZ, Roberto. *O pai de família*. Rio de Janeiro, Paz e Terra, 1978.

LEIA MAIS PENGUIN-COMPANHIA

CLÁSSICOS

J.-K. Huysmans

Às avessas

Tradução de

JOSÉ PAULO PAES

"Publicado pela primeira vez em 1884, *Às avessas* se consagrou de imediato como uma espécie de bíblia do decadentismo. E seu protagonista, Des Esseintes, passou a figurar desde então — ao lado de D. Quixote, de Madame Bovary, de Tristram Shandy — na galeria dos grandes personagens de ficção. Herói visceralmente baudelairiano pelo refinamento dos seus gostos, pelo seu ódio à mediania burguesa, pelo solitário afastamento em que dela timbrava em viver, pelo esteticismo e pela hiperestesia de que fazia praça, encarnava ele, melhor ainda que o Axel de L'Isle-Adam ou o Igitur de Mallarmé, os ideais de vida e de arte da geração simbolista, geração na qual a modernidade teve os seus mestres reconhecidos.

Aliás, *Às avessas* é um romance pioneiramente moderno. Reconheceu-o de modo implícito a crítica "oficial" de fins do século passado quando, vendo-o como um romance kamikaze que vinha lançar uma pá de cal sobre os postulados do naturalismo na prosa de ficção, contra ele investiu. Ao reclamar o novo a qualquer preço, ao propor uma filosofia do avessismo e ao abrir a forma romanesca às experimentações da prosa *art-nouveau*, a obra-prima de J.-K. Huysmans antecipou de muitos anos, quando mais não fosse, a óptica objetual do *nouveau roman*."

JOSÉ PAULO PAES

D. H. Lawrence

O amante de Lady Chatterley

Tradução de
SERGIO FLAKSMAN
Introdução de
DORIS LESSING

Poucos meses depois de seu casamento, Constance Chatterley, uma garota criada numa família burguesa e liberal, vê seu marido partir rumo à guerra. O homem que ela recebe de volta está "em frangalhos", paralisado da cintura para baixo, e eles se recolhem na vasta propriedade rural dos Chatterley, nas Midlands inglesas. Inteiramente devotado à sua carreira literária e depois aos negócios da família, Clifford vai aos poucos se distanciando da mulher e dos amigos. Isolada, Constance encontra companhia no guarda-caças Oliver Mellors, um ex-soldado que resolveu viver no isolamento após sucessivos fracassos amorosos.

Último romance escrito por D. H. Lawrence, *O amante de lady Chatterley* foi banido em seu lançamento, em 1928, e só ganhou sua primeira edição oficial na Inglaterra em 1960, quando a editora Penguin enfrentou um processo de obscenidade para defender o livro. Àquela altura, já não espantava mais os leitores o uso de "palavras inapropriadas" e as descrições vivas e detalhadas dos encontros sexuais de Constance Chatterley e Oliver Mellors. O que sobressaía era a força literária de Lawrence, e a capacidade de capturar uma sociedade em transição, com suas novas regras e valores.

Henry James

A outra volta do parafuso

Tradução de
PAULO HENRIQUES BRITTO

Nesta trama de horror e suspense, Henry James conta a história da jovem filha de um pároco que, iniciando-se na carreira de professora, aceita mudar-se para uma propriedade em Bly, Essex, nos arredores de Londres. Seu patrão é o tio e tutor de duas crianças adoráveis, Flora e Miles, cujos pais morreram na Índia, e deseja que a narradora (que nunca é nomeada) seja a governanta da casa em que moram. Ao chegar a Essex, a mulher percebe que duas aparições, atribuídas a antigos criados já mortos, assombram o lugar. O triunfo íntimo da protagonista, mais que desvendar o mistério, consiste em vencer o silêncio imposto pela diferença de condição social entre ela e seus pequenos alunos.

Desde que a novela *A outra volta do parafuso* foi publicada, sucessivas gerações de leitores, críticos e artistas têm se inspirado na maestria narrativa desta trama de horror e suspense, repleta do que há "de mais insólito, revoltante, horrendo, doloroso". A tradução de Paulo Henriques Britto para esta edição reconstitui com precisão a elegante contundência do original inglês.

LEIA MAIS PENGUIN-COMPANHIA
CLÁSSICOS

John Reed

Dez dias que abalaram o mundo

Tradução de
BERNARDO AZJENBERG
Introdução de
A. J. P. TAYLOR

Dez dias que abalaram o mundo é não só um testemunho vivo, narrado no calor dos acontecimentos, da Petrogrado nos dias da Revolução Russa de 1917, como também a obra que inaugura a grande reportagem no jornalismo moderno. A Universidade de Nova York elegeu este livro como um dos dez melhores trabalhos jornalísticos do século XX. Reed conviveu e conversou com os grandes líderes Lênin e Trotski, e acompanhou assembleias e manifestações de rua que marcariam a história da humanidade.

"Jack" Reed fixou a imagem do repórter romântico, que corre riscos e defende causas socialmente justas. Cobriu os grandes eventos de sua época — a Revolução Russa, a Revolução Mexicana e a Primeira Guerra Mundial. Suas coberturas serviram de inspiração para dois filmes clássicos dirigidos por Sergei Eisenstein, *Outubro* (1927) e *Viva México!* (1931). Em 1981, Warren Beatty dirigiu o filme *Reds*, no qual interpreta Reed.

Esta edição traz apêndice com notas e textos de panfletos, decretos, ordens e resoluções dos principais personagens e grupos ligados à revolução, além de introdução assinada pelo historiador A. J. P. Taylor.

LEIA MAIS PENGUIN-COMPANHIA
CLÁSSICOS

Henry James

Pelos olhos de Maisie

Tradução de
PAULO HENRIQUES BRITTO

A separação de seus pais gerou uma situação inusitada para Maisie. Apesar de a guarda ter sido concedida ao pai, acabou sendo estabelecido que a menina ficaria com os dois. Dividida, Maisie vira um joguete na mão do casal e, aos poucos, expõe os contrastes, entre virtudes e defeitos, entre inocência e cinismo, de ambas as partes — ao mesmo tempo que descobre um modo próprio de ver o mundo.

A personagem está num lugar privilegiado para Henry James contar esta história admirável, feita de objetividade narrativa, observação detalhada e sutil ironia. Maisie já não é criança, mas ainda não é adulta. Situa-se ao mesmo tempo dentro e fora da trama. Por isso, sua vida ilumina e desvela costumes, princípios e fraquezas de uma família desagregada e de uma sociedade movediça.

Escrito na fase mais fértil da carreira de Henry James, o romance está entre as grandes realizações do autor. Esta edição traz, entre outros aparatos, o prefácio que o próprio autor escreveu, em 1908, para a "New York Edition" de suas obras, extraordinário depoimento em que o comenta seu método de trabalho e o processo de construção do romance.

1ª EDIÇÃO [2011] 11 reimpressões

Esta obra foi composta em Sabon por Alice Viggiani e
impressa em ofsete pela Lis Gráfica sobre papel Pólen da
Suzano S.A. para a Editora Schwarcz em maio de 2025